El día que sueñes con flores salvajes

El día que sueñes con flores salvajes

Dulcinea (Paola Calasanz)

Rocaeditorial

© 2017, Paola Calasanz

Primera edición: abril de 2017
Primera reimpresión: abril de 2017

© de esta edición: 2017, Roca Editorial de Libros, S. L.
Av. Marquès de l'Argentera 17, pral.
08003 Barcelona
actualidad@rocaeditorial.com
www.rocalibros.com

© de la ilustración de cubierta: Ana Santos

Impreso por LIBERDÚPLEX, S.L.U.
Ctra. BV-2249, km 7,4, Pol. Ind. Torrentfondo
Sant Llorenç d'Hortons (Barcelona)

ISBN: 978-84-16700-87-5
Depósito legal: B. 5415-2017
Código IBIC: FA

RE00875

A mis abuelas, Flora y Pura,
por enseñarme que se puede tener raíces
y a la vez alas

1

De pequeña mi abuela siempre me decía que los soñadores
tenemos las heridas en la mirada, porque los ojos son
el pasadizo al alma. #hoyeseldía #exposición #porfin

Selfie en el ascensor. Cargando a Instagram. Cuánta razón tenía mi abuela.

Amo esta ciudad, amo recorrer sus calles en busca de tiendas con encanto y amo a Roy; aunque ahora mismo lo que más amo es el cheque regalo de mil dólares que me ha regalado para nuestro aniversario. Pensándolo bien, es un regalo muy poco romántico, muy típico de él. En realidad, me lo imaginaba, ya son unos cuantos aniversarios juntos. Así que antes de que llegara nuestro día ya tenía claro qué iba a «autorregalarme» por nuestro aniversario. Bueno, vale, ya sé que no es un «autorregalo»; debería haber dicho: lo que iba a «autoescogerme» con su/mi regalo de aniversario. Sí, así mucho mejor.

Lo admito, me encanta ir de compras. Recorrerme las tiendas una tras otra me hace sentir como en casa. Es una especie de plenitud; como cuando estás triste y la persona que más quieres te sonríe y te abraza como si le sobrara el mundo; como cuando te hielas de frío en pleno enero, entras a una cafetería calentita y el aroma del café recién molido te envuelve y piensas que podrías quedarte ahí durante horas. Algo parecido me pasa cuando entro en una tienda y sé que tengo todo el tiempo del mundo para mirar, rebuscar y comprar. Me pregunto si me habré convertido en una materialista caprichosa, yo que solía ser tan espiritual. Esta ciudad engancha a cualquiera. Nueva York, sus luces, su gente, ya son cinco años lejos de casa e inmersa en esta caótica y frenética ciudad de la moda. Aunque no creo. Creo que más bien es mi manera de mitigar lo que realmente me llena. Que en realidad son los detalles, las sorpresas, esas de «Te vendo los ojos y no los abras hasta que lleguemos» o «Haz la maleta, nos vamos lejos».

La verdad es que Roy jamás formulará ninguna de esas dos frases, ni nada que se le parezca. Eso seguro. Y en cierto modo ya me he resignado. Menuda contradicción andante estoy hecha. Pero es así, soy realista. Adoro comprar, sí, pero ¿a quién quiero engañar? No alcanza a superar mi necesidad de sentir, de dejarme llevar. «Vale, me está pasando otra vez, me estoy distrayendo con mis pensamientos y no llegaré a tiempo para hacer nada», me digo mientras miro el precioso reloj *vintage* de esfera de plata afgana que acabo de comprarme. Planta baja. Me apresuro y salgo del ascensor rumbo a todo lo que aún me queda por hacer y, como no deje de darle vueltas a la vida, no haré. Aprovecho para tomarle una foto rápida a mi nueva adquisición y subirla también junto a la segunda frase del día. «Las redes sociales son el futuro, Flor. Publícalo todo. A tus seguidores les encanta y va genial para captar clientes.» Las palabras de Syl, mi asistenta, retumban en mi cabeza.

Tempus fugit. Hoy es el gran día. #newclock #porfin
#miprimeraexposición #feliz

Definitivamente hoy no es día para navegar por el país de las maravillas con mis sinsentidos. Foto subida a Instagram. 142 «Me gusta» en quince segundos. Menos de dos horas para hacer todos los recados. Mierda.

Aún he de pasar por la peluquería, hacerme las uñas, comprar un par de zapatos de tacón bien altos, un vestido de infarto y un buen abrigo. Tengo que estar perfecta para esta noche: la inauguración de mi exposición. Ser fotógrafa de bodas me ha llevado lejos y estoy orgullosa de ello, aunque debo admitir que últimamente siento que me falta la inspiración; hay algo que antes tenía y que ahora me cuesta encontrar, como si la magia se hubiera evaporado. Supongo que será una mala racha. Quizá necesito desconectar un poco e inspirarme de nuevo. Debo admitir que a veces me asusta, aunque tampoco me preocupa demasiado. Por suerte, con todo mi trabajo y recorrido, me he ganado un nombre que ayuda en momentos como este. Tengo a Roy, el hombre de mis sueños: guapo, inteligente y con un trabajo inmejorable. Y aunque estos últimos meses no han sido los mejores, sé que todo volverá a la normalidad. Además, estamos planeando casarnos el próximo año. ¿Qué más puedo pedir?

El pitido del móvil me aleja de mis pensamientos y trato de encontrarlo entre el millón de cosas que llevo en el bolso. A esta hora de la mañana la ciudad está frenética, y entre la gente, los coches y los codazos que voy recibiendo, encontrar el teléfono mientras camino a toda prisa parece misión imposible, pero no hay tiempo que perder, así que sigo buscando en el bolso, que no deja de vibrar. Seguramente sea mi asistenta. Me apresuro a cruzar el paso de cebra, aprovechando que la luz verde aún parpadea.

«¡Maldita sea! ¿Por qué diablos se me ha ocurrido coger este bolso tan grande, precisamente hoy? ¡Qué calor me está entrando! Este entretiempo me mata; no sabes qué po-

11

nerte... ¡Maldita sea! ¿Dónde está el puñetero móvil? ¡No puede ser! Qué agobio, eh, de verdad... ¡Uf! Ajá, ¡ya lo tengo! Aquí estás.» Mis pensamientos van a mil por hora.

Avanzo rápidamente mientras saco el móvil del bolso sin mirar ni un segundo la calzada. Se ilumina la pantalla y apenas alcanzo a leer:

Mensaje de Roy: Cómprate el vestido más caro, princesa, te veo esta noc...

No me da tiempo a terminarlo. Un claxon impacta bruscamente en mis oídos y las luces de un todoterreno se abalanzan sobre mí dejándome completamente ensordecida, ciega y aturdida. El móvil se me cae al suelo, haciéndose pedazos, y recibo un golpe arrollador en la espalda. Se me congela el corazón por un momento. Todo ocurre muy deprisa. Apenas puedo asimilar lo que está pasando. Aún estoy sin aliento. El coche sigue pitando pero ya estoy a salvo gracias a unos poderosos brazos que me han agarrado con todas sus fuerzas desde atrás: alguien se ha abalanzado sobre mí y ha logrado sacarme a tiempo de la calzada.

Permanezco completamente inmóvil y en estado de *shock:* solo noto una respiración agitada en mi nuca y un perfume amaderado que atrapa mis instintos; un olor nada familiar, pero embriagador como el sorbo más intenso.

—¡Dios mío! ¿Estás bien?

Escucho una voz viril que me tranquiliza. ¿Dónde está mi móvil?

—Hey, ¿estás bien? ¡Menudo susto! Podrías estar muerta. ¿Me oyes?

«Sí, te oigo», pienso, pero soy incapaz de pronunciar palabra alguna.

Todavía me sostiene entre sus brazos, su pecho palpita en mi espalda. Vuelvo la cara muy despacio, totalmente conmocionada, y lo primero que veo son unos ojos marrones oscuros e intensos como el fuego: cálidos, con un brillo especial; un brillo entre el miedo y la agitación. Siento cómo golpea su corazón desbocado contra mi cuerpo y cómo sus brazos van soltándome poco a poco, inundándome con una sensación que no he experimentado jamás: un vacío inexplicable, como si me arrancaran el alma de cuajo; un vértigo que no conocía.

«No puedo creerlo… ¿Qué ha pasado? ¿Quién es este hombre? Será el susto…»

Su voz firme y masculina me aleja de nuevo de mis pensamientos, y me doy cuenta de que estoy muy cerca de él, mirándolo embobada y muda.

—Hey, me estás asustando. ¿Puedes decirme algo? Aunque solo sea: «Estoy bien».

Me aparta el pelo de la cara con delicadeza. El susto ha sido brutal, pero el impacto de su cuerpo contra mi espalda al cogerme y levantarme en el aire hasta ponerme a salvo aún no puedo asimilarlo. De pronto me doy cuenta de que no para de hablarme y que me mira con cara extraña.

—Sí sí… Perdona… Estoy bien… Es que… no entiendo cómo ha podido pasar… ¡Qué raro! —respondo aún incapaz de hablar con fluidez—. Dios, disculpa, qué vergüenza.

—«¿Cómo puedo ser tan tonta? Llevo una eternidad mirándolo sin reaccionar. Dios mío… ¡Es muy guapo!»

Sigo inmersa en mis pensamientos, completamente abstraída del mundo que me rodea. La gente que se ha detenido a nuestro alrededor a contemplar la escena ha reanudado su camino como si nada hubiera pasado.

—Lo raro es que aún estés viva. Con esa manía que tenéis de ir enganchados al móvil, sinceramente, lo raro es que aún respires. —Su expresión deja de ser amable para dedicarme una ligera mueca de desprecio—. Ese coche iba, por lo menos, a cincuenta kilómetros por hora, y tú te has

13

abalanzado sobre la calzada como si nada… ¡Ni lo has oído! Y todo por ese maldito teléfono móvil.

«Mi teléfono… ¡Oh, no!» Mi teléfono está roto. Me apresuro a recogerlo sin darme cuenta de la cara de asombro con la que él me mira. Me lanzo de nuevo hacia la calzada sin mirar siquiera el semáforo y oigo un claxon a lo lejos que me hace volver corriendo a la acera. Él niega con la cabeza mientras frunce el ceño. Me mira como si yo fuera un bicho raro. «Pero ¿de dónde ha salido este hombre?»

—¡Muy buena idea! Vuelve a tirarte sobre la calzada sin mirar y recoge lo que queda de tu móvil, a ver si puedes hacerlo resucitar. ¡Ah! Y mientras, procura que no te atropelle ningún coche más. Por desgracia, en esta ciudad existen pocas personas sin móvil que quizá te vean y puedan ayudarte —expresa con sarcasmo.

«¿Qué problema tiene este hombre con los teléfonos móviles?», pienso.

—Eh… Mmmmm… No no… Perdona… Qué mal educada soy. Es que esperaba una llamada importante de trabajo y estoy histérica. Esta noche es la presentación de mi exposición y apenas tengo tiempo de nada… Y todavía he de hacer un montón de cosas… Bueno, disculpa… No… No sé por qué te estoy contando todo esto. Per… perdona, y gracias, de veras… Mu… muchas gracias por haberme salvado la vida.

«Pero ¿qué me pasa? ¡Estoy supernerviosa! Ni siquiera hablo con normalidad. Es su mirada… Dios mío. Tengo que salir de aquí, ¡ya!»

Su mueca se suaviza un poco y vuelve a tornarse dulce. Suspira y parece que su inexplicable rabia ha desaparecido.

—Sí, imagino. Es lo que tiene la ciudad. —Me sonríe, ahora del todo cómplice.

Seguimos de pie, parados uno frente al otro, al lado del paso de cebra. Estoy de nuevo sin habla, como una boba.

«¿Qué me está pasando? ¿Tan fuerte ha sido el *shock*...? Este chico es muy raro y todo ha pasado muy deprisa. Tengo un montón de impresiones que se mezclan en mi interior y que no entiendo. Este chico no es de aquí, se nota. Desprende una extraña aura salvaje...»

—Bueno, muchas gracias, de veras, gracias —consigo al fin pronunciar tímidamente.

Todavía de espaldas a la calzada, intento no parecer más idiota de lo que ya he demostrado ser y trato de huir de allí enseguida. Así que, todavía conmocionada más por su presencia que por el susto del coche, doy un paso atrás y, de golpe, una motocicleta me roza el brazo y me tambaleo. Estalla un nuevo pitido ensordecedor y, de nuevo, él me rodea con sus brazos, pero esta vez estoy de cara a él y mucho más cerca de sus increíbles ojos. Un golpe brusco contra su pecho y tanto mi corazón como el suyo vuelven a galopar juntos. «No me lo puedo creer. ¿Qué está pasando aquí?»

Su respiración me acaricia la cara y mis ojos quedan a la altura de su boca. Su respiración se agita y la mía, sin duda, también. Tiene una boca preciosa. Sus labios son carnosos, de una forma casi inhumana. Sin soltarme, vuelve a enfadarse conmigo:

—¡Santo Dios! Pero ¿qué narices te pasa? ¿Te has propuesto morir hoy o qué? ¿Tan horrible es tu exposición que no quieres llegar a ella... viva? No puedo dedicar mi vida a salvarte una y otra vez —exclama agitado, entre asustado y risueño.

Por suerte, vuelvo a la normalidad; como si este último susto me hubiera despertado del todo. Me arreglo la ropa, fingiendo que no ha pasado nada; me separo de él y... su olor... Otra vez me embriaga esa fragancia que me transporta a otros mundos... «¿Cómo puede oler tan bien?» Sus rasgos son muy masculinos, una mandíbula ligeramente pronunciada que le hace muy sexi, un corte de pelo

15

algo desarreglado, entre corto y largo, y una barba descuidada de un par de semanas.

Me apresuro a sonreír despreocupada.

—No sé dónde tengo la cabeza. He de irme o no llegaré a tiempo. De verdad, gracias.

Aún me mira con una expresión de perplejidad. Por fin hace una ligera mueca de no entender nada y me libera de sus cómodos brazos.

—Cuídate, por favor, tengo un día muy agitado yo también. Y si te ocurriera algo, me vería en la obligación de ayudarte de nuevo y no tengo tiempo. Visto lo visto, nadie más ha intentado hacerlo. Es casi una obligación moral. —Sonríe del modo más tierno que un hombre puede hacerlo; sin ninguna doble intención. Ternura en estado puro.

—Sí sí, lo haré. —Sonrío bastante intimidada.

Me apresuro a darme la vuelta y esta vez, sí, semáforo en verde, doy unos pasos y me alejo; deseando mirar atrás pero sabiendo que sería absurdo. «¿Qué acaba de pasar? ¿Qué ha significado todo esto? ¿Quién es este hombre?»

Me doy la vuelta para ver si se ha marchado, ahora que ya he llegado a la acera y me he asegurado de que estoy a salvo, y sigue allí parado, apoyado en el semáforo con una sonrisa de medio lado. Me hace un gesto con la mano como diciendo: «¡Mira al frente!» Le dedico una sonrisa y sigo sus instrucciones. No sé quién será, pero en mi vida he sentido nada igual.

2

*P*or fin llego a casa. Son las cuatro de la tarde y todavía
no he comido. Tengo el tiempo justo para darme una ducha, maquillarme, vestirme y salir volando para la galería.
Roy debe estar al llegar y tengo que estar lista. Con las
prisas, los nervios y el rato que he permanecido atrapada
en ese encuentro tan raro, me he olvidado de comprar el
abrigo. «¡Maldita sea! Y encima no tengo móvil para avisar a nadie de que voy con retraso.»

Me meto en la ducha a toda prisa y me estremezco al
primer contacto de mi piel con el agua caliente. «Madre
mía, cuánto necesitaba relajarme un momento.» Dejo que
el agua resbale por mi cuerpo y le permito volar a mi imaginación, que vuelve al momento del impacto: sus brazos,
su piel bronceada, el latido de su pecho, su olor… Echo la
cabeza hacia atrás para que el agua me empape el pelo.
«Total, al final no me ha dado tiempo de pasar por la peluquería y voy a tener que peinarme yo misma.» Me acaricio el cabello con los ojos cerrados, respiro y por un momento imagino que mis manos ya no son las mías. Son las

de él, acariciándome como él lo haría. Dejo que se deslicen por mi nuca, suelto un pequeño suspiro y de repente la puerta se abre de golpe.

—¿Pequeña? ¡Qué haces aún en la ducha! —La voz de Roy me golpea con dureza, había olvidado que estaba al llegar.

—¡Oh! Hola, cariño. He tenido una mañana horrible…

Me sorprendo a mí misma, sabiendo que acabo de soltarle una mentira.

—Pero ¿y tu pelo? Flory, ¿no ibas a pasar por la peluquería? ¡Te reservé hora para las doce! Lo tenías pagado.

«¡Mierda, mierda! ¿En serio lo había pagado ya? Ni me acordaba…», pienso avergonzada.

—Sí, ya, perdona, mi amor, y no me llames Flory. ¡Sabes que lo odio! Es que… he tenido un par de contratiempos y me ha sido imposible.

¡Mentira! La verdad es que, al perder el móvil, no me acordaba de a qué hora tenía la cita. ¿Cómo le digo que se me ha roto el móvil?

—¿Qué ha sido eso tan horrible que te ha pasado esta mañana, señorita Flor?

Lo miro con ojos de asesina. También odio que me llame por mi nombre; lo hace cuando algo no va bien.

—Nada nada… Alguien me dio un empujón y tenía el móvil en las manos, se me cayó al suelo y se rompió. He pasado toda la mañana buscando otro, pero no he conseguido salvar ni uno de mis contactos de la agenda, horrible. Lo siento, mi amor, te lo compensaré.

—Tranquila. Estás preciosa te pongas lo que te pongas. ¡Apresúrate o no llegaremos al gran día!

Salgo de la ducha rápidamente, sintiéndome idiota por pensar en otro hombre. Si tengo al más maravilloso. Me desenredo el pelo y trato de maquillarme a la perfección: *eyeliner* perfectamente perfilado, máscara de pestañas in-

18

tensa y un labial burdeos que combina a la perfección con mi vestido negro de espalda desbocada. Me subo a los tacones y pienso que ojalá me hubiera visto él así. Y no con esas ropas y esos pelos de loca. «¿Por qué diablos sigo pensando en ese hombre? ¡Basta, se acabó!»

Me dedico una mirada de satisfacción y aprobación ante el espejo. La verdad es que nunca he tenido grandes complejos. Me fijo en mi cara. Siempre he sabido sacarle partido a mis ojos, de color castaño intenso, y aunque de pequeña odiaba la constelación de pecas que lucen sutilmente en mi nariz y mejillas, con la edad he aprendido a aceptarlas. Incluso me gustan. Casi no se ven, excepto cuando me pongo morena, cosa que me cuesta bien poco. Nunca he sido una chica alta. Pero no hay nada que unos buenos tacones no puedan arreglar y, en cuanto a mi cuerpo, me doy una vuelta completa ante el espejo. Siempre he tenido un cuerpo atlético por constitución, así que tampoco me ha atormentado demasiado. Y menos mal, porque me encanta comer. Recojo mi larga melena morena en un moño desenfadado y salgo del baño quedándome sorprendida de lo guapísimo que se ha puesto Roy.

—Nena, ¡estás increíble! Y ese recogido… ¡Te queda mil veces mejor que cualquier peinado que te hubieran hecho en la peluquería! —Me besa el cuello con ternura y me hace un gesto indicándome que tenemos que irnos.

—¡Tú sí que estás guapo! ¡Tu corbata pega con mi barra de labios! Eres increíble. Te quiero, Roy.

—¿Te quiero, Roy? ¡Uy! ¿Qué está pasando? —Frunce el ceño con expresión interrogativa y se me escapa una risita tonta por los nervios.

—Nada, cariño. ¿No puedo decirle a mi futuro marido que le amo?

—Sin duda, pequeña, ¡perder el móvil te sienta bien! Vamos, ¡o no llegaremos!

19

Salimos por la puerta y subimos al coche: un precioso Mercedes biplaza que acaba de comprarse. Llegar en su descapotable me hace sentir importante. Qué tontería, pero es así. En realidad, siempre he odiado este tipo de lujos. Pero debo admitir que me encanta cómo le queda a él. Otro sinsentido más del día. Espabila, Flor. Vuelve al planeta Tierra.

Llegamos en apenas media hora. Debo admitir que estoy un poco nerviosa, pero nada que no pueda disimular. La galería está llena y, al entrar, mi asistenta se abalanza sobre mí.

—¿Dónde diablos has estado metida toda la mañana, Flor? Te he estado llamando sin parar. La foto de la pareja de Mississippi, los que están besándose debajo del puente con la lluvia y el atardecer, ¡no ha llegado a tiempo! ¡Voy a matarte! He tenido que improvisar como he podido. Al final todo está bien. He ido yo misma al laboratorio a por la maldita foto. ¡Voy a matarte! Esto me lo compensas.

—Te lo compenso, te lo compenso. Eres la mejor y te amo, lo sabes, ¿verdad? Recuérdame que te suba el sueldo. —Le sonrío. Es mi asistenta de siempre, mi amiga y mi confidente. —Si yo te contara, Syl… —Mi mente regresa a esta mañana y se me escapa un suspiro que hace que Syl me mire con cara de «No entiendo nada».

—¡Hey, señorita, deja de pensar en las musarañas! ¡Tierra llamando a Flor!

—¡Sí! ¡Ay, qué pesada! Todo está bien, ¿no? Pues estupendo. Vayamos a saludar a los invitados y a conocer a mis futuros clientes. Fluye, Syl, fluye. ¡Ah, por cierto! Estás radiante, ¡pero te dije que no podías ir más guapa que yo! Ya te vale…

Syl es preciosa. Tiene unos ojos color miel que dejarían a cualquiera sin aliento y cuando sonríe es imposible llevarle la contraria. Me conoce como poca gente; no sé qué haría sin ella.

Tomo aire y cruzo la galería. Mis fotos lucen preciosas

con esa luz y esos marcos que escogimos. Un montón de parejas se acercan a mí; novios que ahora son marido y mujer y que he fotografiado a lo largo de estos años. Todos superfelices y orgullosos de ser los modelos. Me felicitan y me piden precios. La mayoría quiere comprar. ¡Qué bien! La inauguración está yendo sobre ruedas.

El local es precioso, una mezcla de modernismo y arte barroco, con grandes columnas en el centro de la sala. Una cristalera inmensa que recorre la fachada de la Quinta Avenida con Broadway, su tráfico, sus luces, su gente y su magia. Los invitados, todos tan elegantes, y algún que otro curioso que, atraído por la llamativa iluminación y música del interior, se atreve a entrar a chafardear.

Como era de esperar, un cliente de Roy le pidió que diseñara la reforma de este precioso local y al acabarla Roy quiso regalarme la oportunidad de exponer mi obra por primera vez. Debo admitir que al principio sentí un miedo increíble. Y ¿si no viniera nadie? Pero ahora, viendo el éxito, recuerdo las palabras de Roy: «Aunque no viniera nadie, que no va a ser así, brillarías como la estrella que eres». A veces es un poco pelota. Sonrío y sigo saludando y charlando con los invitados.

A lo largo de la tarde-noche hablo con muchas parejas y amigos que han venido a verme. Hago un montón de nuevos contactos y cierro muchas citas para futuras reuniones. La música que ha escogido Syl es inmejorable, baladas de blues y jazz, para no hablar del increíble *catering* de sushi y cócteles.

Ya han pasado dos horas y media desde que llegamos y me doy cuenta de que no he visto a Roy en la exposición. A última hora, cuando ya no puedo comer más ni apenas andar sobre mis tacones, me dispongo a encontrar a mi futuro marido. Me hubiese gustado tenerlo a mi lado, apoyándome, pero bueno, ¡él es él! Es estupendo, pero siem-

21

pre va a su rollo; sus cosas son sus cosas. No me extrañaría nada verlo en un rincón con su portátil enviando proyectos a sus trabajadores y diseñando alguna casa en algún lugar remoto del planeta. Doy un par de vueltas y nada, ¿dónde estará? Justo cuando me decido a salir de la galería para ver si lo encuentro fuera, alguien me da unos toquecitos en el hombro por detrás. Me asusto y me encuentro a una chica rubia, preciosa, que me sonríe con cara de emoción.

—¡Flor Sanz! No puedo creerlo. ¡Pensé que no llegaría a tiempo! Hola, encantada…, qué digo, ¡encantadísima!

Tanta emoción por su parte me abruma pero a la vez me hace sentir orgullosa.

—Hola, encantada. Gracias por venir.

—¿Cómo no iba a venir? ¡Llevo siguiéndote por todas las redes sociales un montón de tiempo! Adoro tu trabajo y el modo que tienes de plasmar el amor. ¡Me encantas! Y he venido hasta aquí desde el estado de Tennessee para conocerte, ver tu trabajo y pedirte que fotografíes mi boda.

—Desde Tennessee, ¿en serio? —«Pero ¿ahí vive gente joven? ¿Aparte de un montón de granjeros, vacas y ciervos? ¡Increíble!»—. No hacía falta, ¡me siento halagada! ¡Pues claro que sí! Déjame que coja mi agenda y concretamos una cita antes de que dejes la ciudad.

—Oh, no será posible. ¡Nos vamos mañana! Hemos venido para hacer un par de recados para la boda y nos vamos a primera hora. Pero quería conocerte personalmente, para invitarte a que nos conozcas en nuestro pueblo. Estoy segura de que te encantará. Es increíble, ¡nos casamos en nuestra propia casa! Bueno, es la casa de los padres de Jake, mi prometido. Saldrán unas fotos preciosas.

«¿En serio, una boda en el jardín de su casa? ¿Qué clase de boda es esa?»

—¡Ostras!, no es para nada el tipo de boda a la que estoy acostumbrada, quiero decir que no suelo hacer bodas fuera de Nueva York, pero tu ilusión y entusiasmo hacen que no pueda rechazar tu oferta. Mira, te dejo mi tarjeta y concertamos una reunión; me enseñas el lugar de la boda, os conozco, os hago la sesión de fotos preboda y lo vamos detallando todo, ¿de acuerdo? Te llamo a lo largo de la semana. ¿Tu nombre?

—Me llamo Melissa, pero puedes llamarme Mel. Mi chico no ha podido venir, pero ya lo conocerás cuando nos visites. Es un hombre increíble, como hay pocos. ¡Soy la mujer más afortunada del mundo!

El brillo de sus ojos la delata; está locamente enamorada y ese es el tipo de parejas que busco para mis fotos. Vale, admito que si se casaran en un palacio o castillo sería más mi estilo, pero al final lo que importa es eso: ese brillo que tiene esta chica en los ojos.

—Me alegro, Mel. Encantada de nuevo y nos vemos pronto. Si me disculpas, voy a buscar a mi futuro marido, que parece que lleva toda la noche escondiéndose de mí —bromeo, y me despido con dos besos y un abrazo sincero. Esta chica tiene algo especial.

Apenas me da tiempo a cruzar la puerta para salir cuando Lili, mi loca mejor amiga, se abalanza sobre mí:

—¡Tía, tía! ¡Vas a matarme! ¡Pero qué supermegaguapísima estás! Perdóname, no he podido llegar antes. Si te contara lo que me ha pasado hoy…

—Si te contara yo… —le respondo sonriendo y ella me lanza una mirada de «Te conozco y a ti no te pasan cosas tan emocionantes como a mí»—. ¡Tú sí que estás guapa! —le digo rápidamente para salir del apuro—. Estaba a punto de matarte por llegar tarde, bueno, después de matar a Roy, ¡que no aparece por ninguna parte!

—Maldito sea Roy. Eso de ser tan guapo ¡tenía que pagarlo por algún lado! —Mi rostro apacible se transforma en una mueca diabólica—. Es broma, Florecilla. Venga, vamos a buscar a ese canalla que te tiene el corazón robado.

Entramos de nuevo, disfrutamos de un par de copas mientras hablamos con amigos y otros artistas. El resto de la velada pasa volando. Se acerca la hora de cerrar. Cuatro horas después, Roy no se ha dignado a aparecer. La verdad, me siento un poco decepcionada, pues hoy es nuestro aniversario y uno de los días más importantes de mi carrera. Mi primera exposición y él sin dar señales de vida. ¿Será por eso por lo que se ha portado tan bien durante todo el día y me ha entregado ese increíble cheque regalo? ¿Lo habrá hecho para compensar que iba a desaparecer durante todo el evento?

Lili y yo salimos las últimas de la galería. Lili se enciende un cigarrillo dispuesta a despotricar del «perfecto» Roy cuando veo su coche llegar a toda velocidad.

—Cariño, ¡perdona! Me ha llamado Alex y he tenido que salir pitando. Te he buscado pero estabas liada con la gente. Pensé que solo serían diez minutos... —suelta Roy asomándose a la ventanilla mientras aparca enfrente.

—¡Y han sido cuatro horas! —le interrumpo furiosa—. No sé de qué me sorprendo... No te preocupes, Roy Hollings. El despacho es el despacho, ¿verdad? No podía esperar cuatro horas, ¿no? Es más importante que yo y mi trabajo.

—Nena, no empieces... Llevamos una semana genial; no vayas a estropearlo ahora.

—Sí, claro, una semana genial porque te has dignado a estar cada noche en casa a la hora de cenar. Cosa que hoy ya has vuelto a no hacer.

—De verdad, no vamos a discutir ahora. Sabes que el trabajo es el trabajo.

—Ah, claro se me olvidaba... Antes que lo nuestro, ¿verdad?

—¿Puedes tranquilizarte y dejar de montarme esta escenita? —me ruega Roy.

—¡Hey, chico! Estoy aquí. ¡Hola! —Lili a mi lado, callada, hasta que no ha podido más.

La conozco, y sé que Roy no le gusta, aunque solo me lo admitió un día cuando iba muy borracha y justo empezaba a salir con él.

—¡Hey! Hola, Lili, y disculpa. No te había visto.

«Mentiroso.» Roy odia a Lili, cosa que nunca entenderé porque ella finge de maravilla que lo adora.

—Venga, chicos, dejad de discutir. Hoy es tu gran día, mi niña, y Roy está aquí. ¿Qué más quieres? Sonríe, ¡vamos a tomar algo para celebrarlo!

Roy me dedica una sonrisa fingida y yo se la devuelvo. Él se queda esperando apoyado en su precioso descapotable mientras Lili y yo entramos a despedirnos del personal y gente del *catering* que aún queda por la galería. Syl se ha ido hace poco y ya están apagando las luces.

—¡Te juro que voy a matarlo! ¡Se ha ido al despacho durante la presentación! ¿Por qué hace esto? No lo entiendo…

—Lo hace porque, para pagar tus increíbles regalos de aniversario, tiene que trabajar muchas horas. ¿Quieres dejar de quejarte y empezar a fingir que eres una fotógrafa feliz?

—¡Hey! ¡Que yo soy muy feliz! —Admito que pasa por mi cabeza la imagen de esta mañana; la sensación de plenitud cuando ese desconocido me tenía entre sus brazos, y no puedo evitar sonreír.

—¡Eh, hola! ¿Dónde estás? Qué rarita estás hoy y qué mala leche llevas. ¿Puedes, por favor, volver a esta órbita?

Le clavo una mirada asesina y nos empezamos a reír como de costumbre.

—¡Venga, vamos! Que tengo mucho que contarte y creo que tú también.

Lili me coge del brazo y empezamos a despedirnos del equipo.

Una vez terminada pacientemente la ronda de halagos, Lili y yo nos dirigimos afuera con Roy, que sigue esperando con el coche sobre la acera.

—¡Muy bonito su coche, Príncipe Azul, pero es un biplaza de pijo en el que no cabe mi cuerpecito para irnos por ahí a celebrarlo! —chilla Lili desde la puerta de la galería mientras yo acabo de ponerme el abrigo.

—Sí, lo sé, lo sé... —Me dedica una mirada de piedad—. Cariño, lo siento mucho pero tengo que entregar un proyecto mañana a primera hora y se me había pasado por completo. Sé que vas a matarme pero es superimportante. Si no, ¡Alex va a acabar conmigo!

—¿Y prefieres que te mate yo a que te mate Alex? O sea, ¿fallarme a mí, tu amor, antes que fallarle a él, tu socio?

No puedo creerlo, ni por un día puede dejar de trabajar para dedicármelo solo a mí. La verdad, empezaría a reprocharle mil cosas, pero no tengo ganas; no tengo ninguna intención de acabar mal el día de hoy. La exposición ha ido perfecta y me apetece irme con mi amiga a desconectar un poco. Así que le dedico una sonrisa muy fingida mientras le digo que no se preocupe, que le veo luego en casa.

—Vale, pequeña, ¡gracias! Te lo compensaré. No llegues tarde y te doy un masaje.

—Sí, claro, ¡tranquilo! Venga, ¡hasta luego!

—¡Te quiero! ¡Os quiero a las dos!

Qué falso es cuando quiere quedar bien y ganarse el apoyo de mis amigas.

—¡Te queremos! —chilla Lili más hipócrita aún. Me mira con cara de «¡Bah! No te preocupes», y me tira del brazo hacia el pub más cercano.

3

*M*e despierto con la sensación más extraña del mundo. Por primera vez amanezco con la misma rabia con la que me acosté. Normalmente, al acostarme se me pasa el enfado, herencia de mi abuela, pero hoy sigo igual o más enfadada que ayer. Como de costumbre, cuando me despierto Roy ya hace dos horas que está en el despacho y anoche cuando llegué ya dormía, así que ni masaje, ni noche de celebración, ni nada. Bueno, ya lo veré a la noche si llega a la hora de cenar. Si no, yo qué sé... Que le den, él se lo pierde. Me siento como una niña pequeña y orgullosa en plena rabieta. Porque sí. Porque tengo razón. Y punto. Todo lo que tiene de hombre perfecto también lo tiene de adicto al trabajo. Otra vez yo y mis contradicciones.

No estamos pasando por el mejor de nuestros momentos, pero lo cierto es que siempre lo compensa con una semana libre para poder hacer algún viaje o escapada a Europa, como a mí me gusta. Buf, qué complicado es el amor; encuentras al hombre de tus sueños y algo tiene que fallar. En fin... ¿Por qué no existirá el hombre perfecto?

¿Tanto pido? Sigo de morros diez minutos dando vueltas en la cama.

Aún entre las sábanas, me desperezo y repaso cuidadosamente las sensaciones de ayer. Todo salió sobre ruedas y Lili acabó de alegrarme la noche. Nos pasamos tres horas hablando sin parar; hacía mucho que no nos veíamos y me contó un montón de problemas amorosos para los que yo siempre le aconsejo lo mismo: ¡Cambia de novio ya! Pero ¿qué le vamos a hacer? Ella es muy cabezota y prefiere llorar por las esquinas, y luego reconciliarse, que acabar de una vez por todas. Yo le conté el encontronazo de ayer por la mañana, y después de poner cara de «¡Cuéntame, cuéntame!» y de desear saber cuándo volveríamos a vernos, la decepcioné diciendo que no sé nada de él ni tengo ninguna pista de quién es, pero que por sus pintas y su manera de ser, seguro que era de otro planeta como mínimo. Así que su réplica fue: «Eres muy tonta». A lo que contesté con un «Quizá...» que en realidad era un «Soy tonta del culo» y que se convirtió en un «¿Qué clase de novia soy pensando estas cosas? Basta. Madura. ¡Ya!». Ahí me di cuenta de lo tonta que fui por no haberle dado una tarjeta y a la vez lo mal que estaban todos esos pensamientos.

No sé por qué sigo dándole vueltas; menuda estupidez, nunca mejor dicho. Lo que tengo que hacer es levantarme ya, arreglarme y pasar por el despacho de Roy a arreglar las cosas, y luego ponerme a hacer llamadas a todos los contactos nuevos que hice ayer. Tengo sueño. Qué pereza.

—¿Quién es? —Su voz por el interfono suena ronca. Es temprano y seguramente aún no ha tomado su dosis matutina de tres cafés.

—Soy yo —respondo queriendo parecer seca.

—¿Quién es usted, señorita? —bromea Roy desde el otro lado del telefonillo.

—Va, ¡abre ya! No seas tonto, hace frío.

Estamos a finales de abril y el tiempo está como loco. Me apresuro a entrar y subir la impresionante escalera de caracol hasta su despacho.

—Buenos días, bella durmiente. ¿Lo pasasteis bien anoche?

—Bueno, ya sabes…, faltabas tú. —Casi miento, al final lo pase genial sin él. Pero me sigue dando rabia.

—Lo siento… Te prometo que te lo compensaré —dice con voz insinuante mientras se acerca y me besa con ternura.

—Siempre es lo mismo, Roy. Necesito que estés más en casa, que pasemos más tiempo juntos… En nada empieza la temporada de bodas y no pararé de viajar.

—Lo sé, lo sé. ¡Uf! Es que tenemos un proyecto que nos lleva de cabeza.

—Bueno, me voy al estudio. Tengo un montón de llamadas que hacer y clientes que conocer. ¿Me recoges a las ocho?

—Lo intentaré. —Le dedico una mirada fulminante y acto seguido recibo su sonrisa—. ¡Sí, señora! A las ocho en tu estudio, cariño. ¡Que vaya genial el día!

Cuando llego a mi estudio ya son las once pasadas. Miro mi agenda con las anotaciones que Syl me ha dejado y empiezo a llamar a las futuras parejas para concretar las citas. Tras seis llamadas, de las cuales cinco quedan ya programadas para la próxima semana, sonrío al ver el teléfono de la siguiente pareja que he de llamar. Es la de la chica tan peculiar y adorable que me paró en la galería, invitándome a su boda campestre. Tiene gracia, ¿quién diría que iba a aceptar una reunión para una boda así? Pero es que esa chica me cautivó, y creo que debo darle una oportunidad. Los conoceré y entonces tomaré una decisión. Mientras marco su número, sonrío al recordar lo contenta que se puso al verme.

—¿Sí? —Una voz masculina me sobresalta y dudo por un momento de si me he equivocado.

—Sí, eh…, disculpa, soy Flor Sanz, la fotógrafa. ¿Podría hablar con Mel?

Un silencio extraño y molesto me hace fruncir el ceño, y justo cuando voy a colgar…

—¡Sí sí! Disculpa… Es solo que… Nada, es igual, perdona. Enseguida se pone…

«Qué raro…», pienso. «¿Será su marido?»

—¡Hola, Flor! —Me sobresalta con su energía desbordante.

—Sí, Mel. Soy la fotógrafa.

—Perdona. Jake, mi marido, se ha quedado mudo. ¡No sé qué le pasa! Habrá pensado que eres otra persona o algo, no sé. ¡Estos hombres! Qué bien que hayas llamado tan pronto. ¡Justo te iba a llamar esta semana para que no te olvidaras de mí!

—¿Cómo iba a olvidarme de ti, Mel? —Sonrío tiernamente—. ¿Qué te parece si concretamos una cita en mi estudio?

—Es que por trabajo me resulta imposible volver a Nueva York antes del verano, y para entonces ya sería demasiado tarde. Podría ir Jake pero, pobre, odia la ciudad y tampoco es que esté muy entusiasmado con la boda, ya sabes, cosas de chicas. —Suelta una risa nerviosa y yo me siento en un aprieto.

—Verás, Mel, a mí me es muy difícil, por no decir imposible, viajar hasta Tennessee solo para una reunión.

—¡Oh, no! No te preocupes, no hace falta que nos reunamos. Tengo clarísimo que quiero que seas tú quien inmortalice el gran día, así que no hace falta que nos conozcamos previamente. Si quieres, te ingreso el coste de la reserva y quedamos ya directamente para que vengas a hacernos la sesión de fotos previa a la boda y acabar de organizar los detalles. Lo cierto es que nos casamos en cuatro meses y apenas tengo tiempo de nada. Necesitaré tu ayuda como decoradora también. La semana que viene es cuando mejor me iría. Sé que es muy precipitado, pero es el único hueco que tengo.

«¿La semana que viene? No puede estar hablando en serio. Con todo el trabajo que tengo…».

—Eh, yo… —Dudo. Intento rechazar su oferta. No me apetece nada tener que ir a Tennessee—. Veamos, déjame pensar… La semana que viene participo en un seminario de fotografía en Chicago. Aún estamos a martes, así que tendría que ser este mismo fin de semana y hasta el miércoles como mucho. Creo que con cinco días tenemos tiempo suficiente. Sería colarte por delante de todos mis clientes, pero si solo podéis esos días, no creo que pueda organizármelo de otra manera.

—¿De veras? ¡Ay! —Suelta casi un chillido—. ¡Genial! ¡Mil gracias! De verdad, ¡te encantará! Nosotros nos ocupamos de todo. Tenemos una preciosa habitación en el hostal de la madre de Jake. En Wears Valley, justo al lado del Parque Nacional de las Smoky Mountains. Estoy segura de que te encantará.

«¿Una habitación en un hostal de la madre del novio? ¡Uf!… Y eso de las Montañas Humeantes, Dios mío, suena peor que una película de terror. Todavía no sé por qué me meto en estos tinglados», me digo. «Sonríe, Flor, sonríe. O se te notará las pocas ganas que tienes.»

—Genial, Mel. Mándame todos los datos y reservo los vuelos. Mi secretaria y mi novio van a matarme por irme tan de repente, casi de un día para otro, pero cuanto antes lo hagamos, mejor. Seguimos en contacto, ¿vale? Te llamará Sylvia; es mi mano derecha. Ella se ocupará de todo. ¡Nos vemos el sábado!

—¡Genial! Te recogemos en el aeropuerto de Chattanooga. Es el más cercano a nuestro pueblo. ¡Un abrazo y hasta pronto!

—¡Hasta el sábado, Mel! —«¿Qué acabo de hacer?»

—¡Ah, por cierto! Trae calzado cómodo. Te espera una aventura. —Se ríe traviesa y me cuelga.

Me quedo con el teléfono en la oreja mirando a la nada, pensando en por qué sigo aceptando bodas que no me apetecen en absoluto. «¡Uf! Tiene razón mi abuela: el corazón me traiciona.» Sonrío al recordarla.

Debería llamarla para saber cómo está. Tanto ajetreo hace que me olvide de mi adorable familia. Esto de vivir en Nueva York y ellos en Barcelona es un poco duro. Quizá irme una semana haría que Roy me echara de menos y a la vuelta podríamos escaparnos un par de días. Sí. Nos irá bien. Que valore lo que tiene, yo también tengo mis planes.

*P*or suerte, Roy ha cumplido con su promesa y me ha recogido puntual en el estudio. De camino a casa, mientras
él conduce, no dejo de pensar en por qué demonios he
aceptado ir a Tennessee sin tener antes una reunión previa
para conocer a la pareja. Si soy honesta, me va fatal ahora
mismo; en plena campaña de bodas, desaparecer una semana no es una buena estrategia de márketing. Pero más
adelante es inviable y su boda es en cuatro meses.

—¿Qué piensas? —Roy interrumpe mis pensamientos.

—Nada, cariño, tengo una reunión en Tennessee este
fin de semana.

—¿Este fin de semana? Vaya… Iba a proponerte irnos
unos días por ahí.

—¿De veras? ¡Maldita sea! ¿Por qué no me lo has dicho esta mañana? Ya tengo los billetes reservados y cam-
biarlos y mover todas las reuniones sería un caos.

—No te preocupes. —Apoya su mano en mi pierna
mientras la otra sigue al volante—. Cuando regreses nos
vamos por ahí y disfrutamos un poco juntos, que tienes

razón, hace tiempo que no lo hacemos. Estoy agobiadísimo y necesito desconectar. Aprovecharé esta semana para acabar proyectos e irnos más tranquilos.

—¡Genial! —Mi cabeza empieza a pensar en cómo sería una vida en la que nuestros horarios fueran más compatibles; en la que pudiera acompañarme en mis viajes y yo en los suyos.

Apenas tengo hambre, así que me como un sándwich y me tumbo en la cama con el portátil. Me dispongo a buscar sobre Tennessee, más concretamente sobre Wears Valley y su gente. Parece un pueblecito típico campestre, con casas de madera, grandes prados verdes, bosques densos y frondosos y mucha tranquilidad. Tendré que ir de compras porque no tengo ningún calzado precisamente cómodo para andar por ahí. Me quedo dormida pronto y cuando Roy se mete en la cama y empieza a acariciarme yo ya estoy en otro mundo, así que una vez más nuestra pasión tendrá que esperar.

El teléfono me despierta como si sonara dentro de mis tímpanos. Con los ojos aún entrecerrados y la boca pastosa cojo torpemente el teléfono.

—¿Mmmm? —gruño sin articular palabra.

—¡Buenos días, cariño! —La dulce voz de mi abuelita desde España me despierta de golpe.

—Buenos días, abuela. ¿Cómo puede alguien a tu edad estar tan enérgico a estas horas? —contesto a la vez que me espabilo y me alegro por su llamada.

—¿A estas horas? Ya hace rato que he vuelto de natación, cariño. ¿Qué haces aún en la cama? ¡Arriba! Que el día es corto y el tiempo es oro.

—De mayor quiero ser como tú.

—Me he enterado de que te vas a Tennessee, ¿en serio? ¡Qué bonito! Me encanta. ¿Sabías que mi primer amor fue un granjero de esas tierras?

—¿Ah, sí? Sabía lo de tu familia en Estados Unidos, claro, abuela, pero ¿tú has tenido un primer amor antes del abuelo? ¿Y cómo sabes que me voy de viaje?

—Querida, hablo más con Syl que con mi nieta. Siempre me coge el teléfono y, para tu información, yo he tenido muchas cosas que tú no sabes, hija —dice en un tono misterioso y lleno de sarcasmo, aunque alegre.

—¿En serio, yaya? ¿Te enamoraste de un granjero... tú?

—¿Por qué te extraña tanto? ¿Acaso no sabes lo que me gusta la naturaleza?

—Ahora que lo dices, es cierto. Tiene gracia... Ahora ya me voy con más ganas. Viajo a Wears Valley este mismo sábado.

—¿A Wears Valley? ¡No puede ser! ¿De veras?

—¡Sí sí!

—¡Oh, Dios mío! El que fue mi novio era de Pigeon Forge, un pueblo muy cercano. Te encantará de veras. Tiene una magia muy especial; la gente, los olores, la comida... No tiene nada que ver con Nueva York. ¡No te enamores de ningún sureño, eh! —Se ríe con felicidad y eso me alegra la vida.

—¡Anda ya, abuela! Y dime, si es tan maravilloso, ¿por qué no te casaste con tu novio el granjero?

—Mi novio, dice... ¡Ay, si yo te contara! Es una larga historia, cariño, que no acabó demasiado bien... Sabes que tras la guerra, cuando mis padres y yo emigramos a Estados Unidos, yo solo era una cría... Ha pasado tanto tiempo... Algún día te lo explicaré.

Percibo cierta nostalgia y melancolía que nunca antes le había notado. Es cierto que siempre me ha contado cosas de su época en Estados Unidos y quizá por eso decidí irme a Nueva York a probar suerte. En cierto modo sentía que si ella pudo, yo también. Pero desde luego nunca me había hablado de ningún apuesto sureño.

35

—¡No puedes dejarme así! Qué mala eres... Cualquier cosa para que vaya a verte, ¿eh?

—¡Cómo me conoces, hija! Esto de que te hayas mudado a Nueva York para ser una artista famosa te ha hecho adivina. —Su tono dulce evoca recuerdos de mi infancia en España, cuando me dormía cada noche entre sus brazos.

—Te quiero mucho, abuelita. Te llamo una vez esté allí. Y tranquila, que serás la primera invitada a mi boda con un granjero sureño —le digo en broma, pues me conoce y sabe que no aguantaría ni una semana en el campo.

—¡Buen viaje, cielo! ¡Espero tu llamada! Haz muchas fotos, ¿vale? Añoro esa luz...

—¿Esa luz?

—Ya lo verás, ya lo verás. —Y me cuelga.

¿Mi abuela se enamoró de un granjero americano? ¿Y por qué no sabía yo nada de eso? ¿No acabó bien? Qué tendrá esa gente... Sonrío al recordar el brillo en los ojos de Mel. Poco a poco me entran más ganas de ir.

Empiezo a prepararlo todo y salgo a hacer las últimas compras antes de preparar el equipaje.

5

$\mathcal{H}$oy me ha tocado madrugar, son las cinco de la mañana y aún estoy acabando de hacer la maleta y como siempre que me preparo para viajar, me invade una sensación de nostalgia infinita; como si una parte de mí fuera a quedarse para siempre en el lugar que voy a conocer; como si en cada lugar que he estado dejara un trocito de mi corazón.

Aprovecho la inspiración que me evoca la nostalgia de viajar para sacar una foto de la maleta de las de «Adoro la cromoterapia y el orden» que en realidad es un «Diez minutos para doblar perfectamente la ropa y ordenarla por colores para que la foto pegue con las del resto de mi cuenta de Instagram» y «Repetirla mil veces para que quede perfecta y a la vez parezca improvisada». Pongo al lado de la maleta un mapa de Tennessee, un sombrero de paja y un par de flores silvestres que saco del jarrón de la cocina. ¡Superimprovisada, vaya!

Se pueden tener raíces y a la vez alas. #proximodestino #Tennesse #wedding #amor

Una vez subida la foto retomo la normalidad. La maleta está a tope, parece mentira que solo vaya a pasar unos días allí, pero como no sé qué ponerme, me llevo un poco de todo: ropa elegante por si me tengo que arreglar y las pocas prendas de mi armario que podrían llamarse campestres. Miro la maleta y pienso que ojalá me acompañara Roy. Me siento un poco triste estos días. Me va a venir la regla. Seguro. «No. No te excuses. Es que le echo de menos.»

Veo parejas de todo tipo y es cierto que soy afortunada por tener a mi lado a un hombre como él, pero le da tantísima importancia a sus cosas que, aunque sé que está loco por mí, a veces siento que no soy prioritaria, y eso duele. A veces añoro esa conexión especial que veo en otras parejas, ese brillo en los ojos, esa felicidad de saber que han elegido a la persona correcta, a la única; ese *noséqué* que les hace saber que de todas las personas del mundo, la otra es la que mejor les complementa. Esa seguridad, al encontrarse, para entender de inmediato por qué no les funcionó antes con nadie más.

Nuestra historia no es que sea precisamente de película. Nos conocimos en un pub y luego todo fue ocurriendo con normalidad, supongo que como suele suceder en las relaciones más comunes. Quizá es eso lo que añoro: ese chispazo, ese amor a primera vista que te descoloca, que pone tu vida patas arriba; que te hace perder los papeles, el norte, el sur y hasta el tiempo. ¡Bah! Sé que no son más que tonterías de romanticona. «Flor, la maleta, céntrate en la maleta.» Es que ver tanto amor rodeando mi vida a veces me hace querer más. Imagino que será una bobada. Lo básico de todas las parejas es de lo que Roy y yo podemos presumir. No será el hombre más cariñoso, ni el más sensible, ni el más tierno... Más bien todo lo contrario. Pero sé que puedo confiar en él y eso para mí es importante.

Intento alejar de mi mente esos pensamientos porque no pueden llevar a nada bueno. No sé qué me pasa con los viajes. Voy a despertarlo para que me acerque al aeropuerto. Cuanto antes me vaya, ¡antes volveré!

De camino al aeropuerto, Roy me mira de reojo y se ríe.

—¿Lo llevas todo? —dice.

—Sí, creo que llevo más de lo necesario.

—Eso es muy típico en ti, cariño —se burla dulcemente—. ¡Ni que te fueras a ir de safari! Ya verás cómo pasa rápido la semana y enseguida estaremos de vacaciones.

—Ojalá. —Aunque en el fondo creo que ese ojalá no es tan cierto como quiero pensar. En realidad, me apetece desconectar unos días de todo para pasar más tiempo a solas y meditar sobre muchas cosas.

—Te recogeré en el aeropuerto el jueves, a tu llegada, y nos iremos a Chicago, ¿vale, princesa? —dice mientras para el coche frente a la puerta de salidas del aeropuerto JFK.

—Vale, cariño. Gracias, y ¡a ver si consigues dormir un poco! No te pases toda la semana trabajando sin parar, ¿eh?

—¡Sí, señora! Te quiero.

—Y yo.

Cierro la puerta y lo miro por la ventanilla. Observo cómo me sonríe y vuelve a invadirme esa sensación de nostalgia, de no pertenecer ni aquí ni allá, ni a mi país ni a ningún otro. Y sin darles demasiada importancia a mis pensamientos, me dirijo a buscar la puerta de embarque antes de que el avión despegue sin mí.

Una vez en mi asiento, reviso los últimos emails, y

39

justo cuando voy a apagar el móvil, me llega un mensaje de texto. Es Mel.

Buenos días, Flor. Imagino que ya estarás en el avión a punto de despegar. Lo siento muchísimo, pero me han llamado del trabajo y no podré ir a esperarte. Saldré un par de horas más tarde de lo planeado. No te preocupes, Jake pasará a recogerte y después vendréis a mi trabajo para irnos todos juntos. Un abrazo.

«¿Será posible...? ¿Y cómo sé quién es Jake? Ya empezamos con los contratiempos.» Intento no ponerme de mal humor, apago el móvil y me relajo. Voy a intentar dormir mientras dure el vuelo.

40 —Abróchense los cinturones, estamos a punto de aterrizar.

La voz de pito de la azafata me desvela y empiezo a prepararme para llegar al aeropuerto de Chattanooga.

Solo llevo equipaje de mano, así que no necesito esperar en la cinta de maletas. Salgo por la puerta de llegadas y me concentro en encontrar a Jake. Imagino que será un chico joven del estilo de Mel. Seguramente estará solo y con cara de estar buscando a alguien, así que supongo que no será muy difícil.

En cuanto se abren las puertas me doy cuenta de lo equivocada que estaba. La terminal está llena de gente: familias enteras, niños revoltosos, hombres trajeados sujetando carteles con nombres de pasajeros... Avanzo mirando en todas las direcciones sin pista alguna para identificar al puñetero Jake. Enciendo el móvil en busca de alguna llamada, pero no encuentro nada. Decido no moverme demasiado para que él pueda verme. Echo un vistazo alrededor, y justo cuando miro a mi derecha, un huracán se desboca en mi estómago.

No puedo creerlo. Acabo de ver al hombre del accidente. ¡Qué casualidad! Espero que él no me vea... ¡Qué vergüenza! ¿Cómo pueden dos desconocidos coincidir en dos lugares tan remotamente distantes y en tan poco tiempo? Si me hubiera pasado años atrás, pensaría que es cosa del destino. Suerte que he madurado y ya no creo en estas cosas. «Soy una mujer madura, racional, muy enamorada de su novio. No, de su novio no, de su futuro marido, que no va a mirar de nuevo al guapísimo desconocido que tengo detrás.»

Me doy cuenta de las ganas que tengo de darme la vuelta, pero el nudo que se me ha hecho en el estómago y los nervios que me invaden me lo impiden. ¿Era él, seguro? Tenía un aspecto algo distinto... Menos mal que no me ha visto. ¡A ver si llega ya el novio de Mel y nos vamos! Ahora sí que estoy nerviosa y con prisa por llegar al hostal. ¿Seguro que era él?

—Disculpe. Hola, ¿es usted Flor Sanz? —Una voz masculina me sorprende por la espalda. Gracias a Dios ya ha llegado Jake y podremos irnos.

Me doy la vuelta y siento cómo me congelo al descubrir quién es Jake, el misterioso novio de Mel.

—Eh... Yo... Eh... ¡Tú! —balbucea sin ser capaz de expresarse.

Está claro que él tampoco esperaba encontrarme por aquí. Su cara es de desconcierto absoluto, parece que se le ha cortado la respiración. No sé muy bien cómo asimilar esta situación. El famoso desconocido es el novio de Mel. Siento como si alguien me hubiera robado algo. Como si Mel me hubiera traicionado. Qué estupidez. «Eres tonta de remate, dile hola ya. No repitamos la escenita de la otra vez.»

—Sí, soy Flor… —consigo, al fin, articular palabra—. Pero tú… Yo… No entiendo nada.

Sin duda, esto debe tener algún sentido… o no. Parece ser una completa locura. Estaba claro que él no era de Nueva York, y más claro aún que venía de algún pueblo remoto. Pero ¿cómo puede ser? Una vez más, me encuentro sumida en un estado absoluto de *shock*, pero esta vez no hay coches ni motos ni camiones, y tampoco sabría decir quién está más afectado de los dos. Vale que yo soy una ñoña y me ofusco con facilidad, pero ¿por qué está él así de parado?

—Imagino que eres Jake.

—Sí, y debo admitir que todo esto es muy extraño… —dice sin ninguna intención de querer disimular su asombro.

¿Es posible que haya sentido una milésima parte de lo que yo he sentido? De ser así, ¿qué significa todo esto?

—Bueno, será mejor que nos pongamos en marcha —dice con un aire serio y seco que no me esperaba.

—Oh, sí sí, ¡claro! Mel nos espera. —Por primera vez se desvanece en mí la ternura que evocan mis sentidos cada vez que la nombro, y me siento tan incómoda que desearía no haber aceptado esta maldita boda.

—Sí, en cuanto lleguemos al pueblo estará a punto de salir del trabajo. Puedes seguirme. Permíteme que te lleve la maleta.

—No, no hace falta. —Agarro mi equipaje con fuerza. «Encima se va a pensar que no puedo ni con mi maleta. ¡De eso nada! Soy una mujer fuerte, independiente y muy enamorada de mi futuro marido», me repito como si tuviera algún sentido, pero él insiste y con un leve roce de nuestras manos, se hace con mi maleta.

—No te hagas la fuerte. Anda, déjame ayudarte. —Me sonríe como si me hubiera leído el pensamiento y quisiera romper el hielo.

Aparto la mirada rápidamente. Me arde la cara. Seguramente me he ruborizado. ¡Ay, no!

Nos dirigimos a su vehículo, que es una ranchera de color verde botella que, debo admitir, le pega totalmente. Viste unos pantalones tejanos desgastados, algo rotos a la altura de la rodilla derecha, pero se nota que están rasgados del uso, no por moda. Una camiseta holgada de algodón muy fino de color blanco, con el cuello bastante amplio y arremangada hasta los codos, que marca su cuerpo perfectamente musculado, aunque no llega a ser uno de esos tipos de gimnasio. Más bien como el de un deportista de élite. Definido por el trabajo, no por el deporte. Lleva el pelo algo más arreglado que la última vez, rozando casi los hombros. Su piel resalta sus ojos marrones y la barba desaliñada de una semana, un poco más corta que en Nueva York, le queda terriblemente sexi.

Jamás me había fijado en ningún novio de las parejas que fotografío. Por más guapos que fueran, nunca había reparado en ellos. Mira que he fotografiado a hombres atractivos, pero él tiene algo especial. Es como si todas las energías benévolas del universo reposaran sobre su piel. Sus rasgos masculinos le dan un aire irresistible y su *look*, un poco dejado, hace que parezca el protagonista de alguna película americana del Viejo Oeste. Con sus botas desgastadas y su ranchera, solo le falta el sombrero de *cowboy*.

—Sube delante, por favor. —Jake me abre la puerta como un caballero.

—Gracias, Jake. Ahora ya sé tu nombre. —Le sonrío haciendo un gran esfuerzo para no parecer idiota.

Arranca y antes de ponerse en marcha me dedica una mirada seca, que le hace parecer pensativo, y se le escapa una sonrisa mientras niega con la cabeza, como queriendo decir que es imposible o muy extraño lo que está pasando. Yo pienso exactamente lo mismo.

—¡No te rías así! ¡Que más paralizada me he quedado yo al verte!

—Ah, ¿me habías visto antes de que me acercara y no me has dicho nada?

—Jamás pensé que fueras el Jake de Mel, así que me di la vuelta para disimular. Después del ridículo del otro día, no me apetecía que me vieras, la verdad.

—¡Qué mal educada eres, fotógrafa! ¿Así le agradeces a uno que te salve la vida? —dice con sarcasmo y una sonrisa terriblemente sexi.

—¡Qué exagerado! Si no me hubieras cogido, me habría dado tiempo a llegar hasta la otra acera —miento descaradamente.

—Sí, claro, seguro...

Los próximos diez minutos los pasamos en silencio, y, a pesar de que me siento mucho más cómoda, no sé muy bien de qué hablar. El paisaje es realmente bonito. Debo admitir que no esperaba que me gustara tanto. Cuando busqué el pueblo de Wears Valley por internet lo único que encontré era la descripción del típico enclave granjero del sur de los Estados Unidos.

Pero contemplar las Great Smoky Mountains con sus características nubes de «humo azul», como lo llamaban los indios cherokee, es espectacular. No pensé que fueran tan grandiosas.

El camino hasta su casa es de más de dos horas. Y solo se ve verde y más verde. Sin darme cuenta nos adentramos en el pueblo. Me sorprendo al ver que nada tiene que ver con la aldea que yo imaginaba. Los pocos comercios que hay son casitas de madera repartidas a lo largo de la Wears Valley Road. Parecen más acogedoras cabañas de montaña que tiendas. Recuerda un poco al Lejano Oeste. Me gusta. Saco el móvil y hago un par de fotos. Tengo que enseñarle esto a Syl. Alucinará.

—Ya hemos llegado. Mel está muy emocionada contigo, y bueno, era imposible quitarle esta idea de la cabeza... —dice mientras pasamos por delante de las bonitas cabañas/tiendas.

Veo a lo lejos una pequeña cafetería de madera monísima.

—¿Quitarle la idea de la cabeza? ¿Por qué querrías hacer algo así?

—Costear tus servicios, vuelos y estancias no es que sea lo más barato del mundo, entiéndeme.

¡Oh! Por un momento pensé que se refería a la idea de la boda. Me siento estúpida por haber entendido que Jake, quizá, no quería casarse.

—¡Chicos! —La estridente voz de Mel irrumpe en mis sensibles tímpanos.

La veo agitando y moviendo los brazos con energía mientras nos acercamos al aparcamiento enfrente de la cafetería en la que trabaja. Me bajo de la ranchera de su novio y se lanza a darme un abrazo.

—¡Oh, qué bueno que os hayáis encontrado! Se me olvidó enseñarle a Jake una foto tuya.

Sonrío y miro a Jake, esperando que diga algo sobre que ya habíamos coincidido en la ciudad, pero solo le da un ligero beso en la frente y me sonríe.

—Bueno, chicas, seguro que tenéis muchas cosas de las que hablar. Os dejo, tengo trabajo que hacer.

—Vale, cariño, nos vemos en la cena.

—Hasta pronto y encantada —digo sin entender demasiado por qué no ha contado la anécdota de hace unos días en Nueva York, precisamente para quitarle importancia.

El hecho de que no lo haya mencionado me hace sentir incómoda con Mel, como si yo y su futuro marido guardáramos un secreto.

45

—¡Qué ilusión que ya estés aquí, Flor! Empecemos ya. Quiero contártelo todo. —Mel siempre habla con tanta ilusión que contagia a cualquiera.

Entramos en el precioso *coffee shop* en el que trabaja y el olor a tarta de chocolate recién horneada hace que me olvide de esa extraña actitud.

6

Con un café calentito en las manos y un buen trozo de bizcocho recién hecho, Mel y yo nos sentamos, una frente a la otra. Las paredes de madera, las cortinas de cuadraditos marrones y beis. Las mesas rústicas con las sillas blanquitas. Las tazas blancas con dibujos de abetos y osos. El escaparate lleno de croissants, muffins y tartas caseras para todos los gustos y flores perfectamente escogidas decorando cada mesa.

—Estoy superemocionada con la boda y creo que será de gran ayuda que estés aquí para terminar de cerrar algunos detalles pendientes. Voy a contarte un poquito nuestra historia y cómo me gustaría que fuera todo para que puedas empezar a hacer tu magia. —Sus ojos depositan toda su confianza sobre mí.

—Genial, empieza a contarme cuándo y cómo os conocisteis y cómo quieres que sea el gran día.

—Conozco a Jake desde que íbamos a la escuela; es lo que tienen los pueblos pequeños. La verdad es que la nuestra es la típica historia de amor adolescente, con todas sus fases. Rupturas, reconciliaciones, idas y venidas…, ya sabes. Llevamos juntos diez años y, si no fuera por mi insistencia, todavía estaríamos viviendo cada uno en su casa. Jake es adorable, pero he de reconocer que es un poco especial…

Sin duda es especial, pero no entiendo por qué lo dice con ese tono de resignación.

—Especial, ¿en qué sentido?

—Bueno… En su familia son todos veganos, lo cual le convierte en vegano de nacimiento.

—¿Vegano?

—¡Oh, perdona! Sí, vegano. Son como los vegetarianos pero más ra-di-ca-les —hace hincapié en «radicales» como si fuera algo malo.

—Entiendo… —La verdad es que no entiendo dónde está el problema.

—Es decir, no comen nada de origen animal ni sus derivados. Tampoco usan sus pieles para vestir, no asisten a espectáculos donde se maltrate o denigre a los animales, como circos, zoos o rodeos. Tampoco usan productos testados en animales y están en contra de cualquier tipo de explotación animal.

—Oh, vaya… No tenía ni idea —contesto realmente asombrada, y me sorprendo a mí misma de que algo así me resulte extraño, pues lo lógico sería que todos nos preocupáramos por los animales.

—Lo cierto es que ya estoy más que acostumbrada; son muchos años juntos, pero este tema sigue siendo foco de discusiones. Desde que vivimos juntos, hace un par de años, apenas como carne, pero no puede decirse que sea vegetariana, y eso Jake lo lleva fatal. Es la razón fundamental por la que hemos tardado tanto en irnos a vivir juntos y el motivo que nos está trayendo más problemas a la hora de organizar la boda. Como es obvio, Jake quiere que el banquete sea, como mínimo, vegetariano, y que no se use ningún animal en forma de espectáculo o para tirar de algún carruaje. Espero que me ayudes a convencerle de que estaría bien hacer algo mixto, más que nada por mi familia y nuestros amigos.

Lo cierto es que esta exigencia me coge por sorpresa, ya que desconozco por completo el modo de vida de los vegetarianos, y no hablemos ya de los veganos, que ni siquiera sabía de su existencia. Sin duda, amo a los animales, y siempre he querido poder vivir sin comer carne, pero me parece algo inevitable. Ahora que acabo de descubrir que no es algo imposible, no entiendo muy bien el descontento de Mel. Me parece muy tierno y a la vez de una fuerza de voluntad enorme que alguien, y más un hombre, decida no comer animales.

—¡Oh, claro! Haré lo que pueda. Seguro que encontraremos un buen *catering* que nos ofrezca las dos opciones —respondo de manera un poco fingida para darle ánimos. El asunto le preocupa de veras. Aunque lo cierto es que sigo sin ver ningún problema en organizar la boda como a Jake le gustaría—. ¿Estás bien? —le pregunto al ver cómo sus ojos muestran una pizca de tristeza.

—Sí sí. Gracias, Flor. Es solo que esto ha sido siempre tan delicado… y me gustaría que no se lo tomara tan a pecho. Quizá tú, desde fuera, puedas hacerle entrar en razón.

—Claro. Ya verás cómo entre las dos le convencemos.

—Gracias, Flor. Confío en ti.

—Te voy a llevar a la casa de Joan, la mamá de Jake —dice Mel tras un par de horas de conversación que han pasado volando.

Sin darnos cuenta son casi las siete de la tarde.

—Claro, ¡gracias! Así puedo descansar un poco y deshacer la maleta.

Durante el trayecto en coche, vuelvo a quedarme embobada con los paisajes de la zona. No tenía ni idea de lo verde que podía llegar a ser la hierba hasta venir aquí. Los caballos en las praderas me hacen recordar las películas que me ponía mi abuela de pequeña. Ahora tiene sentido el motivo por el que siempre insistía en verlas. Le recordaban su juventud. El olor a comida casera entra por la ventanilla cada vez que pasamos cerca de alguna casa. Dejamos atrás varias de madera. Y a los vecinos por la calle, alegres y despreocupados. El cielo es de un color azul intenso y los brotes de la primavera brillan como nunca. Distingo flores de todo tipo pero, ante todo, grandes y extensos valles cubiertos de árboles centenarios y con mucho ganado en los pastos. Al fondo se atisban las grandes montañas con bosques densos. El paisaje me recuerda sin duda a la película favorita de mi abuela, *El hombre que susurraba a los caballos*. Me sorprende el aura de paz que se respira. Nada que ver con Nueva York. Estos días me van a sentar bien. Lo intuyo. En breve empezará a anochecer.

Cuando llegamos a casa de la madre de Jake me quedo algo sorprendida, no es el típico hostal ni la típica vivienda de pueblo. Es más bien como una preciosa cabaña gigante de madera, con ventanales enormes, un montón de flores y mucho terreno alrededor, porque detrás de la edificación puedo ver unos prados enormes y un par de caballos que pacen tranquilos. Sin duda, en este lugar se respira paz. Los vecinos más cercanos parecen estar a más de un kilómetro. Más allá de los prados empieza un bosque formado por árboles altísimos que me recuerdan los paisajes salvajes de Canadá. Si el Cielo existe, sin duda tiene que ser muy parecido a esto.

Y más ahora mismo que los primeros rayos dorados del atardecer acarician los perfiles. Me llega un ligero olor a verduras al horno, con un toque de finas hierbas. Entre el vuelo, la sorpresa de Jake, el pequeño viaje por carretera y la tarde hablando con Mel en el café se me ha pasado el día volando. Empiezo a estar hambrienta. No hay manera. Yo y la comida. Es mi perdición. Me doy cuenta de que aparte de la deliciosa merienda en el *coffee shop* no he comido nada en todo el día. Aprovecho para sacar el móvil mientras descargo la maleta del coche de Mel y fotografío el porche. Ni siquiera le pido permiso de lo asombrada que estoy. En menos de medio minuto ya está subida a internet.

Into the woods. #wedding #boda #Tennessee

—¡Oh! Hola, queridas, y ¡bienvenidas!

Intuyo que la mujer pelirroja que nos sale al encuentro con esa amplia sonrisa es la madre de Jake.

—¡Hola, Joan! ¿Cómo estás? Mira, te presento a Flor. Es la artista que tanto admiro y que nos hará el reportaje y me ayudará con la decoración.

—Buenas tardes, señora, encantada.

—¡Nada de señora! Llámame Joan o tendremos un serio problema —bromea mientras se lanza a darme un abrazo.

—Claro, Joan. ¡Qué bonito lugar y qué bien huele!

—Por supuesto, habéis llegado justo a la hora de cenar. Tenemos al cocinillas de la casa a punto de servir la comida. —Nos indica con un leve gesto de cabeza que pasemos mientras se quita unos guantes que parecen de jardinería—. Estaba plantando algunas peonías. Son mis flores favoritas, ¿sabes? A ver si llegamos a tiempo de hacer un bonito ramo para Mel.

Una vez dentro, me quedo maravillada con la exquisita decoración; las paredes de madera dan una calidez asombrosa, junto a las plantas y cuadros de botánica, los mue-

51

bles de mimbre y madera; los tejidos y las cortinas son de color beige y con estampados de estilo indígena. La verdad, parece un hogar de ensueño. Una gran alfombra hasta la cocina. Entramos y la imagen de Jake sacando una bandeja del horno me deja algo asombrada. En cinco años de relación jamás he visto a Roy cocinar.

—Tienes suerte de haber llegado a tiempo, Flor, así puedes probar mi magnífica cena. —Jake le guiña un ojo a su madre y saluda a Mel.

—¡Será fantasma! Todo lo que sabe se lo he enseñado yo, ¡no te dejes impresionar! Aún le queda mucho por aprender. —Le dedica Joan a su hijo una mueca divertida y coge la bandeja recién salida del horno para servir la mesa.

Nos sentamos y me doy cuenta de lo detallista que es esta mujer. Los platos y los cubiertos son preciosos; no son la típica vajilla comprada en algún gran almacén, parece una vajilla con historia pero sin resultar antigua o desfasada. En el centro de la mesa luce un enorme jarrón de cristal, lleno de flores silvestres, que da un toque fresco y pintoresco al comedor. Me fijo en las velas. Hay varias repartidas y todas están encendidas. Cada una con un aroma particular. Me encanta.

—Sentaos a la mesa, ¡rápido! No dejemos que se enfríe. Luego te mostramos tu habitación, por ahora deja el equipaje donde quieras —ordena la mujer con su adorable sonrisa—. ¿Tienes alguna manía con la comida, querida? ¿Algo que no te guste?

—¡Oh, no! Todo lo contrario. Me gusta todo. ¡Qué buena pinta! Y huele tan bien…

—¡Menos mal! ¿Ves, Mel, cariño? Tienes que aprender. —Jake le dedica una tierna sonrisa a su futura mujer mientras le acaricia el pelo y le sirve un plato diferente al nuestro—. Verduras de temporada al horno, gratinadas con un poco de lasaña de calabaza al vino y finas hierbas, acompañado de un pan de nueces recién hecho y unas croquetas que van a fascinarte. Receta secreta de la señora Joan —bromea y nos hace reír. Parece encantador.

—¡Qué buena pinta y qué bien huele! Que aproveche —digo entusiasmada. Lo pruebo y no me puedo contener—: Está delicioso, Jake. —Debo admitir que es lo más exquisito que he probado en mi vida. Adoro la pasta, pero esta combinación de lasaña con verduras gratinadas consigue que quiera comer sin parar. Ahora entiendo lo de una familia especial.

—Y dinos, ¿de dónde eres, cielo? —pregunta Joan mientras intento tragar para poder hablar.

—Soy española, pero vivo en Nueva York desde hace cinco años. La verdad, vine aquí por la fotografía y me quedé prendada de la ciudad.

—¿Algún yanqui te robó el corazón? —Me mira con cara de «Cuéntanoslo todo» y sonrío sin poder evitarlo.

—Sí, algo así. —Jake me dirige una mirada indomable. Desvío la mía y sigo comiendo y comentando—: Esto está buenísimo, Joan, me tienes que dar la receta.

—¡Por supuesto! Era la comida favorita de mi madre. Es el plato estrella de la familia.

—Chicas, he cocinado yo. Ya le diré el secreto yo personalmente. Y no os lo acabéis todo, que papá y el abuelo tienen que comer cuando lleguen —vuelve a bromear Jake mirando a su madre de reojo.

Me siento muy cómoda con esta familia tan encantadora.

Tras la comida, Joan me enseña mi dormitorio, que sin duda es tan bonito como el resto de la casa; una habitación abuhardillada en el segundo piso con grandes vigas de madera, una cama de matrimonio de madera clarita y una ropa de cama con un estampado de cuadros que recuerdan a la ropa de un leñador y muchos cojines con siluetas de osos y

53

ciervos. Una cómoda de madera antigua, restaurada con mucho gusto, pintada de color turquesa oscuro grisáceo, con un jarrón con flores sobre ella, velas y un par de libros. Uno de recetas y un clásico de Shakespeare. Una bonita alfombra con un estampado similar a la del comedor que le da un toque moderno y una silla de mimbre, con un cojín a juego con la ropa de cama. Huele a incienso. Juraría que es palo santo.

Mel y Jake se han ido hace unos minutos y hemos quedado en vernos mañana por la mañana para visitar el lugar de la ceremonia. Seguro que habré engordado como mínimo tres kilos con todo lo que he comido, por muy vegana que fuera la comida. Pero ¡es que estaba tan rica! Mañana me despertaré temprano y llamaré a la abuela y a Roy. Voy a descansar y a asimilar todas las vivencias sorpresivas de hoy. Apago las luces y un sutil olor a leña me invade. Me duermo antes de lo esperado.

$\mathcal{M}$e visto tranquilamente mientras escucho en la cocina la voz de Joan tarareando una canción que no soy
capaz de reconocer. Está preparando el desayuno. Mel y
Jake no tardarán en llegar para enseñarme el lugar de la
ceremonia y no quiero hacerles esperar, así que elijo
unos tejanos desgastados de tiro alto, una camiseta básica gris de manga corta y me hago una coleta alta, me
pongo un poco de máscara de pestañas, colorete, y me dirijo hacia la cocina. «No, espera. Mejor la melena
suelta.» Me miro en el espejo, me suelto el pelo. Sí, mucho mejor. «Pero ¿qué estoy haciendo? Flor, sé profesional, por favor.» Mi vocecita interior me atormenta. Sssh.
Me gusto más así. Sí, mucho mejor. Melena al viento.
Salgo de la habitación y bajo los escalones de dos en dos.
Me siento enérgica y feliz.

—¡Buenos días! Mmm… Huele de maravilla.

—¡Oh! Gracias, cielo. ¿Te gustan las tortitas saladas
con chocolate, fresas y sirope de agave? ¿Y el zumo de pomelo y mango recién exprimidos?

—¡Por supuesto! —le contesto con auténtica emoción, un sinfín de sabores estallan en mi imaginación.

El desayuno es mi comida favorita del día, aunque por falta de tiempo nunca me preparo uno en condiciones.

—Genial, pues siéntate y disfruta.

Si la cena de ayer fue exquisita, el desayuno es sublime. Adoro la combinación de dulce y salado a primera hora de la mañana y como no sé el día que me espera prefiero desayunar fuerte. Engullo el desayuno como si no hubiera comido en días mientras Joan me mira complacida.

—Ya veo lo bueno que me ha salido. Hace tiempo que no veía a nadie comer tan rápido.

—¿De veras? Yo creía que era la única persona en el mundo capaz de comer tan rápido. Mi madre siempre me reñía de pequeña, pero es que no puedo evitarlo. Adoro comer.

—Comer es uno de los placeres de la vida. ¡Di que sí, jovencita! Y sí, sí que hay alguien, o por lo menos había alguien que comía tan rápido como tú. Mi mejor amiga de la infancia, siempre que mi madre preparaba tortitas, se las ingeniaba para venir a desayunar y comérselas todas en un tiempo récord —recuerda con nostalgia.

—Su madre también debía de ser una gran cocinera.

—¡Oh, ya lo creo!

Llegan Mel y Jake, me saludan al unísono y Jake corre hacia el plato de tortitas para engullir dos de golpe. Me entra la risa y Joan hace una mueca como si no tuviéramos remedio.

—¡Jake, por favor! Come con educación y cuida esos modales ante tres jóvenes damas como nosotras.

—Sí, mamá, sí. —Me guiña un ojo mientras mastica con fuerza y rapidez lo poco que queda de tortita en su boca.

Y yo me ruborizo. Por favor, que no se me note, que no se me note.

—¡Buenos días, chicos! ¿Preparados para empezar con

toda la organización? —Les sonrío para quitar importancia al gesto cómplice de Jake y a mi reacción involuntaria.

—Espero que hayas dormido bien, Flor. Sí, estamos listos para empezar ya. ¡Con muchas ganas! —contesta Mel y se dirige a su novio para reñirle como si fuera su madre—: ¡Jake! ¿Quieres dejar de comer así?

—¡Genial! Pues por mí, cuando queráis. —Tomo el último sorbo de zumo y me preparo para salir.

Nos dirigimos a la parte trasera de la casa y me quedo fascinada con el hermoso prado que se extiende antes del bosque: la parcela de hierba verde está cercada con una valla de troncos y al fondo, a la derecha, diviso un gran edificio de madera que parece un granero o el almacén de herramientas. Al lado, un sauce llorón centenario rodeado de lilas y otras flores silvestres le da a la finca una imagen similar a *La casa de la pradera*.

Debo admitir que, aunque la elección del jardín trasero de una casa me parecía muy mala idea al principio, ahora me parece el marco perfecto para una boda íntima y superromántica.

Mel me señala el sauce.

—Sería genial celebrar la ceremonia justo enfrente del árbol, de modo que se vea de fondo.

—¡Ya lo creo! No se me ocurre un sitio mejor; podríamos aprovecharlo para colgar algunos adornos y quizás también podríamos colocar algunos cuadros en la pared del granero que da a ese lado, junto a una butaca *vintage* y maletas llenas de flores —le sugiero mientras me imagino el marco perfecto.

—¡Sí sí sí, me encanta! ¿Lo ves, cariño? Te dije que sería facilísimo con su ayuda.

Jake asiente con la cabeza. Está claro que le deja hacer a ella.

—¿Qué opinas tú, Jake? ¿Dónde te gustaría que estuviera el *catering*? —le pregunto para hacerle partícipe de la organización.

—Creo que estaría bien ponerlo cerca de la casa, para que los invitados puedan usar el servicio cuando deseen —dice involucrándose un poco más en los preparativos.

—Sí, genial. El porche trasero puede ser perfecto para el cóctel de bienvenida y el aperitivo, y luego las mesas de la cena podemos colocarlas enfrente —afirma Mel mirándome en busca de mi aprobación—. Como ya te comenté, el *catering* todavía no está decidido del todo...

—Mel, yo tengo clarísimo cómo será la comida que ofrezcamos —contesta Jake al instante fulminándola con la mirada.

—Sí, bueno, dejemos que Flor nos aconseje. —Mel me pide socorro en silencio y calculo cómo puedo abordar el conflicto.

58 —¡Oh, vaya! Claro... Veamos, explicadme un poco qué es lo que queréis, porque no lo tengo muy claro —respondo para ganar tiempo e intentar comprender mejor por qué esa elección les resulta tan problemática.

—Había una condición muy clara a la hora de decidir que íbamos a casarnos —me cuenta Jake muy serio.

—Pero..., cariño, ¿no podemos valorar más opciones? —Mel le interrumpe. Hay mucha tensión entre ambos y no sé muy bien cómo suavizarla—. Me hace mucha ilusión poner una mesa con sushi. Sé que no pega nada, pero a mí me encanta.

—Pongamos sushi si quieres. Podemos preparar diferentes combinaciones con vegetales —le contesta Jake con cara de «No puedo creer que me vengas ahora con esas».

—Ya, cariño, pero es que no es lo mismo...

Jake no la deja argumentar, muestra un claro mohín de decepción antes de explotar con un tono que me sobresalta:

—¡Claro que no es lo mismo! Para hacer tu sushi alguien ha de morir y para hacer el mío no. He aquí la gran diferencia. Y ya que no vas a tener en cuenta mi opinión ni mis sentimientos, será mejor que me ponga a trabajar y os deje a las dos con los preparativos de tu boda. —Pronuncia «tu boda» con sarcasmo y dureza, nada parecido a la amabilidad y sentido del humor que suele desprender. Con el ceño aún fruncido, me dirige un gesto de disculpa y se marcha.

—Uf, ¡de verdad que no puedo aguantarlo cuando se pone así! —Mel parece enfadada también.

—Bueno, Mel, quizá podamos buscar un buen *catering* vegetariano. Al fin y al cabo es solo un día y los invitados lo entenderán. Además, por lo que veo, es una cuestión de sentimientos y emociones, no de gustos. Si es tan importante para Jake, yo lo haría. Creo que es esencial que él se sienta feliz. La boda es de los dos. Os aconsejo que no arméis un conflicto por esta tontería, se trata de vuestro gran día.

—Ya… Es que… no quiero que sea tan radical, y cada vez lo es más.

A mí no me parece nada radical la petición de Jake, sobre todo después de que ya he comprobado que es una opción compartida por toda su familia.

—Visto lo visto, él no parece muy conforme con la boda si no se respetan sus preferencias. Será mejor que antes de seguir con los preparativos os sentéis a hablar y toméis una decisión. No creo que sea buena idea que sigamos diseñándolo todo tú y yo excluyéndolo a él, y menos con el enfado que parece tener ahora mismo —le digo a Mel con mi mano sobre su hombro para darle ánimos.

—Tienes razón. Será mejor que lo dejemos hasta esta noche. Qué vergüenza. Lo siento mucho… Durante la cena te cuento la decisión que hayamos tomado. Gracias,

Flor, y disculpa por este momento tan incómodo —se disculpa Mel con tono triste.

—¡Oh, para nada! No sois los primeros. Es normal no estar de acuerdo en algunas cosas a la hora de organizar una boda. Para gustos, ¡los colores! Os voy a preparar varias ofertas de *caterings* vegetarianos para que las valoréis, ¿vale?

—Sí, gracias. —Me sonríe con una mueca triste y me da un abrazo antes de irse—. Te dejo que sigas echando un vistazo y pensando cómo podría organizarse todo.

—Voy a aprovechar el día para ofreceros varias alternativas. ¡Que te vaya bien!

Me quedo ahí plantada, imaginando que esa discusión es ya un clásico entre ellos y que ya se les pasará, y busco a Jake en los alrededores pero parece que se ha ido. Supongo que trabajará por la zona y habrá ido a trabajar. Apenas conozco nada de él. Me doy una vuelta por ese espacio maravilloso que ya contemplo como un decorado y descubro rincones mágicos que podrían quedar genial con la decoración floral y algún que otro mueble antiguo. La finca está rodeada de campos que componen un marco increíble como telón de fondo. Me dirijo a la habitación para hacer algunos croquis con ideas que se me han ido ocurriendo.

El teléfono suena y me doy cuenta de que aún no he llamado a Roy desde mi llegada ayer por la mañana.

—¡Hola, cariño! —pronuncio entusiasmada tratando de restarle importancia al hecho de que me he olvidado por completo de él.

—Hombre, ¡menos mal! ¿Estás viva?

—¡Oh!, disculpa, es que he estado muy ocupada.

—Ya me lo imagino, con tanta cabra y vaca suelta por esas tierras…

Su ocurrencia burlona seguramente me hubiera hecho reír hace solo unos días pero ahora no me hace ninguna gracia.

—Pues, la verdad, esto es muy bonito. No es para nada lo que me esperaba, y la pareja, bueno... Tienen algunas diferencias y tendré que esforzarme pero, por lo demás, todo va estupendamente bien. Estoy en la casa de la madre del novio, que cocina de maravilla. Son todos veganos, bueno, la familia de él, y es todo precioso —hablo sin parar, de forma atropellada y un poco emocionada, y lo noto por el tono en que me contesta Roy.

—Pero ¿qué te pasa? ¿Veganos? ¿Esos que solo comen lechuga? —Se ríe con ganas—. Vaya tela, ten cuidado, que eso tiene que ser una secta.

—Pues la verdad es que son una familia encantadora. —Vuelve a molestarme su comentario y me dan ganas de decírselo, pero no lo entendería.

—Bueno, cariño, solo quería saber que habías llegado bien y estaba todo en orden.

—Sí sí. Todo en orden —contesto un tanto molesta.

—Genial, pues te dejo que tengo trabajo. Te llamo esta noche y me cuentas qué tal el día, ¿vale?

—Muy bien. ¡No te canses mucho en el despacho! Hablamos más tarde, te quiero.

—Yo también te quiero, pequeña. No pases hambre, ¿eh?

—Sí sí, venga, un beso. —Cuelgo y suelto un suspiro al tiempo que me tumbo en la cama.

Voy a llamar a la abuela, que seguro se alegrará de saber que ya he llegado.

—¿Dígame? —Contesta al teléfono algo cansada y dulce.

—¡Abuelita! ¿Cómo estás?

—¡Oh, mi preciosa nietecita! ¿Ya estás por aquellas gloriosas tierras?

—¡Sí! Llegué ayer y tenías razón: ¡qué lugar tan precioso! No tenía ni idea de cuánto. ¿Cómo no me has contado nunca tu historia aquí?

—Oh, a veces hay cosas que una prefiere guardar...
—contesta melancólica.

—No lo entiendo. Tú siempre me lo cuentas todo

—Ya te lo contaré cuando nos veamos, ¿vale?

—Estoy en una casa en las montañas con un encanto especial. La familia del novio me está tratando de maravilla, cocinan genial y todo es tan, pero tan bonito...

—¡Oh, sí que cocina bien la gente de ahí, sí! Es una de las cosas que más recuerdo.

—¡Ya te vale! Esta no te la perdono, eh, me debes una larga explicación. Bueno, ya te iré llamando y contando. ¡Ah, por cierto! Esta familia es vegetariana, así que comeré muchas verduras, como siempre me has dicho que haga.

—Vaya, ¡qué bien! Seguro que nos llevaríamos bien, pues. Ya sabes lo importantes que son las verduras y las legumbres para estar sano.

—Sí, yaya, llevo toda la vida escuchándotelo decir.

—Pásalo bien, Florecita. Te quiero mucho y te echo de menos.

—Un besito, yaya. ¡Te veo pronto! Cuídate y dale recuerdos a mamá y papá.

Tras colgar el teléfono, miro el techo y me relajo un rato antes de ponerme a trabajar de nuevo. Respiro profundamente, tratando de encontrar paz en mi interior. Este lugar es genial.

8

Cojo mi libreta y me dispongo a hacer algunos planos de
la casa para empezar a diseñar el evento; me asomo al ven-
tanal de mi habitación, con vistas al sauce, y lo primero
que veo es a Jake vestido con una camiseta negra de algodón fino, unos tejanos viejos de color negro y unas botas
camperas cortas de color camel, su pelo medio largo revuelto y una camisa de cuadros mal atada a la cintura. Y
su cuerpo, su cuerpo siguiendo un rítmico movimiento
mientras corta leña. No esperaba que estuviera por aquí.
Me parece la imagen masculina más sexi que he visto en
mi vida y eso me hace sentir muy mal. Sigo observándolo
por un momento, rezando para que no me vea. A su lado
distingo a un hombre mayor, del que me llaman la atención sus rasgos nativos americanos. Debe de ser su abuelo
o algún familiar cercano: eso explicaría la intensa energía
salvaje que desprende Jake.

Me arreglo un poco la ropa y el pelo y bajo las escaleras dispuesta a hablar con él con la excusa de que me
cuente qué tipo de *catering* le gustaría que hubiera en la

boda. Me apetece hablar con él y a solas, ahora que Mel está en el *coffee shop*.

—Hola, buenos días, caballeros. Soy Flor —me dirijo al hombre mayor que, ahora que lo veo mejor de cerca, sin duda tiene ascendencia aborigen.

—¡Oh, buenos días! ¿Esta es la famosa fotógrafa, Jake? —Le dedica a él un gesto pícaro y a mí un abrazo de bienvenida.

Parece que en esta familia son todos muy cariñosos. Jake mira al hombre con cierto reproche y me sonríe algo ruborizado.

—Disculpa por lo de antes, yo….

—No hay nada de qué disculparse, de verdad. Me gustaría que me contaras, cuando puedas, qué es lo que realmente te gustaría a ti, para valorarlo y hacérselo entender a Mel.

Me observa de arriba abajo con un punto de descaro, o quizá solo sea desconcierto.

—¿Desde cuándo estás de mi parte?

Me dan ganas de decirle que desde el minuto uno en que me sujetó con esa fuerza entre sus brazos para salvarme de ser arrollada, pero me muerdo la lengua.

—Desde que probé tu exquisita lasaña vegetal —bromeo y me doy cuenta de que parece que estoy flirteando con él.

—¡Oh oh! ¡Tensión en el aire! —se burla, en efecto, de nosotros el anciano—. ¿No vas a presentarme a esta hermosa mujer, maleducado?

—¡Oh! Disculpa, abuelo. Ella es Flor, la famosa fotógrafa, sí. —Y pronuncia «famosa» con el mismo tono de «Voy a matarte por haber dicho eso»—. Flor, él es Lonan, el padre de mi padre. Como puedes ver, un auténtico nativo americano, quien me ha enseñado las cosas más hermosas y esenciales de la vida; el hombre más sabio que conozco y también el más fuerte, a la vez que el más sensible.

Lonan también me contempla de arriba abajo y al final se lleva los dedos a la cabeza en un gesto de despedida:

—Bueno, chicos, una vez hechas las presentaciones, yo me voy. —Entonces le da un ligero golpe a Jake en la espalda—. Ya estoy viejo, nieto, pero todavía puedo ver. Esta chica lo tiene, sin duda.

Jake me mira y sonríe mientras niega con la cabeza.

—Hasta luego, abuelo, siempre hablando de más…

—¿A qué se refiere con que «lo tengo»? ¿El qué? ¿Qué es lo que tengo?

—Nada nada, no te preocupes. Solo son cosas de familia.

—¡No, venga ya! ¿Qué tengo?

—Mucha suerte es lo que tienes de haberle caído bien —bromea para escaquearse.

—Será eso… ¿Tu abuelo es nativo americano? No lo sabía.

—Sí, se casó con una americana, por eso mi padre no tiene apenas rasgos. Luego lo conocerás. Bueno, y yo menos. Pero sí, es un auténtico indio americano —afirma orgulloso.

—Bien, y ahora ¿quieres contarme qué problema tienes con la comida? —intento que piense que he bajado a saludar por temas de trabajo.

—¿Sabes lo que es el veganismo?

—Bueno…, algo sé. Me lo explicó Mel.

—Bien. Entonces no sabes nada —responde frunciendo el ceño y desnudándome con su poderosa mirada—. El veganismo es un modo de vida, una filosofía, unos valores que defienden la vida de todos los animales sin importar la especie a la que pertenecen. Estamos en contra del especismo, es decir, de la discriminación que se hace con los animales según su especie. La mayoría de las personas consideráis que algunos son animales de compañía,

65

a los que amáis y cuidáis, como por ejemplo perros y gatos. Sin embargo, a otros os los coméis como si fueran diferentes, como si no merecieran ser amados y respetados de la misma manera.

Su explicación me coge desprevenida y me paro a pensar en la razón que tiene sobre la apreciación que yo misma tengo acerca de los distintos animales.

—Es muy injusto que amemos a unos y condenemos a otros, puesto que todos son seres que sienten y padecen de la misma manera que nosotros. Por tanto, merecen vivir su vida en completa libertad, es decir, deberíamos dejarles que vivan de forma natural. No somos nadie para esclavizarlos. Nadie para decidir quién vive y quién no.

—Entiendo…, aunque reconozco que nunca lo había visto así.

—Yo soy vegano de nacimiento, por decisión de mis padres, así que no puedo entender a la gente que mata y come animales cuando no es necesario. Mírame a mí, toda una vida sin consumir carne y estoy bien sano. Mis padres un día se dieron cuenta de la gran mentira que nos cuelan sobre la comida, sobre su procedencia y elaboración. No quiero decir que sea culpa vuestra comeros a esos pobres inocentes. Más bien es culpa de la cultura y la tradición. Creo que todo el mundo es inocente mientras es ignorante, como tú ahora. No te ofendas. Pero una vez que saben la verdad y descubren la gran mentira, no logro entender cómo algunos pueden seguir con sus costumbres en vez de actuar de la manera más coherente, y por supuesto, hacer algo para cambiar esa terrible agonía que sufren miles de millones de animales.

—¿A qué verdad te refieres exactamente? —Lo miro embobada, sentada en el suelo, mientras sigue cortando leña y admiro la facilidad que tiene para expresar sus pensamientos.

66

—¿Me dejas que te lo muestre? Será más fácil... —Me extiende la mano como invitándome a conocer otro mundo, y no lo dudo ni un segundo: le doy la mía.

Un hormigueo que no esperaba me sacude el cuerpo y rápidamente se la suelto una vez levantada.

—Sígueme.

Echo a andar un poco descolocada. Se dirige hacia el granero. Abre la puerta y la escena que veo me enternece el alma: dos terneritos preciosos descansan encima de la paja mientras la vaca que parece su madre lame la cabecita de uno de ellos. Los terneritos son de un marrón dorado y transmiten una dulzura irresistible, y la actitud de la madre cuidándolos evoca la estampa de todos los cuentos de granjas que leía cuando era pequeña, pero también la imagen de cualquier madre mimando a sus retoños. Me invade una especie de nostalgia extraña.

—¡Pero qué cosa más bonita! ¿Puedo tocarlos? Por favor, por favor —suplico como una niña pequeña y, sin esperar su aprobación, me dirijo a acariciarlos.

Me arrodillo al lado del ternerito que está siendo cuidado por su madre y el otro se levanta. Deben tener apenas unos días. Torpemente se acerca hasta mí, y para mi sorpresa, me acaricia las piernas con su cabecita como haría el gato más cariñoso del mundo. Miro a Jake encantada y él me sonríe con ternura y asiente con la cabeza, como si entendiera a la perfección lo que quiero decirle.

—Oh, Dios mío, qué bonitos y cariñosos, por favor. —No puedo parar de acariciarlos y le planto un beso al pequeñín que ha decidido sentarse al lado de mis piernas y apoyar su cabecita sobre mi muslo—. Son muy pequeños..., qué tiernos.

La vaca sigue con su tarea de acicalamiento de su cachorro sin inmutarse.

—¿Te gustan los animales? —me pregunta Jake.

67

—¡Oh, me encantan! —respondo eufórica.

Jake se arrodilla frente a mí y me pide la mano de nuevo. Esta vez dudo unos instantes antes de tendérsela, pero finalmente se la doy. Me la coge con delicadeza y se la coloca sobre su pecho, presionando su mano contra la mía levemente. Siento cómo late su corazón. Me mira a los ojos de una manera que me desarma y me pregunta:

—¿Qué sientes?

Pienso que si le dijera la verdad saldría corriendo. No puedo admitir todo lo que despierta en mí, así que respondo:

—Tu corazón...

—¿Qué más?

—Siento... —El latido de su corazón golpea con fuerza contra la palma de mi mano y empiezo a ponerme nerviosa. El tacto de su mano sujetando la mía sobre su pecho me hace estremecer. Sigo sin entender qué me ocurre, pero decido olvidarme del mundo—. Siento que estás vivo.

—¡Exacto! Sientes la vida. Bien. Ahora, dime. —Aleja mi mano de su pecho con delicadeza, sin dejar de mirarme a los ojos, y la coloca en el pecho de la vaca, que deja de atender a sus cachorros—. Dime, ¿qué sientes ahora?

En ese preciso instante, de golpe, es como si me quitaran una venda de los ojos, del corazón, y pudiera entenderlo todo; como si mi cerebro se hubiera conectado con todos los animales de la Tierra de un modo inexplicable. Entiendo perfectamente lo que Jake intenta transmitirme.

—Siento su corazón... —apenas logro susurrar, conmovida por esa profunda conexión con el latido de la vaca... y con el mío propio.

—Sí..., sientes lo mismo. —Entonces coloca mi mano en mi pecho, aún con la suya encima. Escalofrío. Se me acelera el pulso—. ¿Y ahora?

—Lo mismo otra vez...

—Ambas estáis vivas, ambas queréis vivir, ambas tenéis el mismo derecho a hacerlo. Ella no debería estar condenada a morir desangrada por su carne o explotada por su leche simplemente por haber nacido vaca.

Noto que él también está muy emocionado, por dentro se desgarra con cada palabra que pronuncia. Sin retirar las manos, sigue explicándose con una mezcla de tristeza, dolor y ternura:

—Esta vaca vivirá libre y feliz toda su vida. Es afortunada: podrá ver crecer a sus hijos mientras juega con ellos, y no tendrá que sufrir la experiencia de que se los arrebaten para vender su leche y hacer hamburguesas con ellos. Esta vaca sabe lo que es tumbarse al sol, sobre la hierba mojada, y dar largos paseos sin la necesidad de volver al establo, pero también sabe lo que es estar encerrada en una pocilga de tres metros cuadrados, tumbada día tras día sobre sus propias heces y ser continuamente explotada para parir y luego robarle a sus crías. Ella jamás tuvo el calor de su madre ni pudo jugar con sus hermanos. Fue encerrada, maltratada y violada con inseminación artificial para engendrar hijos durante siete años. Hijos a los que nunca pudo ni siquiera amamantar. ¿Imaginas lo que es eso para una madre?

—¿Cómo ha llegado hasta aquí?

—Mi familia la rescató hace cuatro años de una granja lechera. Esta vaca ahora es feliz, pero aún quedan miles de millones como ella que viven cada día aterrorizadas hasta el día de su cruel muerte. Tendrías que ver sus ojos, es la mirada más triste del mundo. No se parece a nada; es temor en estado puro. No entienden por qué están ahí, por qué las usan… Ningún animal explotado entiende lo que le ocurre. ¿Tienes hijos?

La pregunta me coge por sorpresa. Estoy emocionada y mis ojos brillan mientras trato de no llorar.

69

—No… —consigo pronunciar con un hilo de voz apenas audible mientras nuestras manos se separan.

—Pero aunque no hayas sido madre, puedes sentir y entender la conexión que tienen todas las madres con sus hijos. Cualquier madre, sea de la especie que sea, protege con su vida a sus crías, las cuida y les enseña lo necesario para sobrevivir. ¿Cómo puede la gente atreverse a pensar que no sienten, que no sufren? Los animales son capaces de experimentar el dolor, el miedo, el hambre, el frío o el placer igual que nosotros. Si les haces daño chillan, si se asustan corren, si hace frío buscan el calor. Eso demuestra que son capaces de sentir, y a mí me da igual que sean capaces de razonar o no. Lo único que me importa es que sienten. Y solo por eso, los considero y los trato como iguales y merecen todo mi respeto.

No puedo evitar derramar una lágrima al ser consciente de lo poco que sé sobre lo que siempre he llamado «comida». De la poca idea que tengo sobre cómo crecen, viven y mueren los animales que me como. Me siento tan ignorante y tan engañada. Es como si cada palabra de Jake me partiera el corazón, o mejor dicho, como si cada palabra suya me hubiera ido destrozando una capa de la coraza que he ido creando alrededor de mi corazón para adaptarme a una sociedad enferma, insensible y completamente ciega. ¿Cómo podía creer que no sufren? Sencillamente nadie me lo había explicado. Sencillamente yo tampoco me lo pregunté.

Me tiende de nuevo la mano y me ayuda a levantarme.

Salimos del granero y tomo aire profundamente. Un leve suspiro se me escapa junto a otra lágrima y Jake me dice con dulzura:

—Lo siento mucho, no pretendía hacerte llorar. Solo quería que entendieras por qué es tan importante para mí que en un día tan especial como mi boda nada de todo lo que te he contado esté presente. Para mí es lo más importante, si te soy sincero. Más que la boda.

—Lo que no entiendo es cómo puede Mel no compartir este sentimiento contigo, este modo de vida...

Veo cómo un halo de tristeza se apodera de sus ojos.

—Cuando conocí a Mel, yo era un niño. No sabía muy bien qué significaba ser vegano. Lo era porque así me habían criado, aunque nunca habláramos sobre ello en casa. Solo era el niño que no comía carne, como mucha gente no bebe leche porque les sienta mal. Cuando empecé a ser más consciente de esta opción, ya llevábamos mucho tiempo juntos. Imagino que, de algún modo, se acostumbró y ya no la impacta ni la conmueve.

—Pues no lo entiendo. Una persona tan dulce y bondadosa como Mel...

Me interrumpe abruptamente:

—Una persona que conoce la verdad y no hace nada para evitarla no creo que sea bondadosa. Al menos, no del todo. Para mí, una persona que no sabe la verdad porque nadie le ha abierto los ojos y sigue participando de manera inconsciente en todo esto sí que podría considerarse bondadosa, pero una vez que se desvela todo el entresijo de mentiras que hay detrás de la industria cárnica, si eres bondadoso de verdad, no puedes quedarte indiferente como si nada.

—Pero ¿cuáles son todas esas mentiras de las que hablas?

—¿De verdad quieres saberlo... o mejor dicho, verlo?

—Sí, claro.

—No es agradable, Flor...

—Te he dicho que quiero —le contesto duramente. Aún en trance.

—Está bien..., voy a llevarte a un sitio.

9

*D*urante el trayecto en su ranchera no pronunciamos palabra, no tengo ni idea de adónde me lleva pero confío en él plenamente; después de oírlo hablar es como si una parte de mí quisiera dejarse llevar del todo.

Conduce unos treinta minutos por pistas de tierra rodeadas de lo que parecen granjas, en la radio suena una preciosa balada country un poco triste pero bonita. Jake parece ausente o preocupado.

—¿Estás bien? —le pregunto para intentar que vuelva a estar como siempre.

—Yo, sí... —duda—. Es solo que estos temas me agotan. Siempre es lo mismo, explicárselo todo a la gente y no conseguir nada, y me pregunto por qué a algunos les llega el mensaje y otros lo ignoran y miran hacia otro lado.

Sé que se refiere a Mel y me entristece que ella no comparta con él este sentimiento.

—El abuelo siempre dice que debo aceptar que hay corazones inalcanzables. Ya hemos llegado.

Miro por la ventanilla y veo lo que parece una nave

gris y sin ventanas. Me parece un lugar triste y una sensación amarga me invade sin saber aún por qué.

—Si en algún momento te sientes incómoda y quieres salir, dímelo. —Jake me mira desafiante y agacha la cabeza.

—De acuerdo. —Con una mezcla de intriga y nervios lo sigo dentro de la nave. Ahora mismo podría seguirlo hasta el fin del mundo.

—Me preguntabas cuál es la gran mentira. Verás, Flor, la gran mentira es que nos venden que comer carne es algo normal. Que esos animales están destinados a ese consumo, que es ley de vida y que es lo natural, que no sufren, que no sienten, que solo son animales. Pero lo cierto es que estos animales no son más que seres inocentes aterrorizados que no quieren morir asesinados.

La palabra «asesinados» me hace abrir los ojos como platos ya que jamás había pensado que la carne que comemos viniera de alguien asesinado. Daba por supuesto que los animales no sufrían y que su sacrificio era necesario para nuestra salud.

En cuanto entramos en la nave, un escalofrío me recorre todo el cuerpo al oír unos chillidos que provienen del fondo. Jake me abre la puerta para que pase yo primero.

—Valora tú misma si esto es ley de vida —me dice con cierta compasión justo antes de cederme el paso.

No puedo controlar el espanto cuando veo ante mis ojos tal atrocidad y horror. Más de cincuenta terneros están colgados vivos boca abajo, atados por una de sus piernas, y unos hombres van degollándolos uno a uno, dejándolos agonizar hasta que vacían la última gota de sangre, mientras los animales convulsionan y se sacuden intentando liberarse, con la esperanza aún de huir. Terneros tan bonitos como los que he acariciado una hora antes. Apenas deben tener tres meses. La imagen de los pobres animales

73

sacudiéndose y chillando intentando escapar mientras se desangran me destroza el alma.

Uno de ellos, el que tengo más cerca, me mira con sus ojos abiertos de par en par, mientras chilla cada vez con más fuerza hasta quedarse sin voz, está sufriendo sin medida, su berrido empieza a ahogarse y a oírse cada vez más débil, pero no deja de mirarme. Me estremezco, apenas le quedan fuerzas pero sigue luchando por su vida, puedo ver cómo esos ojos preciosos van apagándose, cómo pierden todo su brillo y siento que no lo aguanto, quiero correr y soltarlo y salvarlo y, Dios mío, es tanto dolor que no puedo reaccionar.

Suelto todo el aire de mis pulmones de golpe tapándome la boca para evitar chillar y me doy la vuelta para no seguir presenciando tal masacre pero el cuerpo de Jake me bloquea el paso y choco con él. Me rodea con sus brazos contra su pecho y todas las emociones del día explotan y rompo a llorar como una niña pequeña mientras él me abraza con fuerza, mucha fuerza, y apoya su cabeza contra la mía, para evitar mirar él también.

No puedo parar de llorar. Mis sollozos son cada vez más fuertes. La imagen de los pobres animales, aún tan jóvenes, se me ha pegado a las retinas y sus berridos hacen que quiera salir corriendo.

¿Cómo puede alguien trabajar ahí? ¿Cómo puede alguien siquiera después de ver esto irse a casa tan tranquilo? Cualquier persona normal que presenciara cómo se le hace eso mismo a un perro o a un gato o a otra persona se horrorizaría. ¿Por qué no nos pasa con los animales que llamamos de granja? Jake tiene razón. Me vuelve a la mente la imagen del ternerito rozando su cara contra mi pierna, pidiendo caricias, y mi impresión de que actuaba exactamente igual que un perro o un gato, que la única diferencia es lo que nos han enseñado sobre ellos desde pequeños.

Me deshago del abrazo bruscamente y salgo corriendo,

oigo a Jake llamarme pero suena como en otra dimensión. Empiezo a alejarme cada vez más de ese horrible lugar, a través del campo hasta donde empieza el bosque. Me siento arder y corro, corro sin destino, sin sentido, sin aliento. Intentando calmar las lágrimas, intentando borrar de mi cabeza esas imágenes, intentando olvidar a Jake, olvidar las dudas, los huracanes en el estómago, los árboles cada vez más altos, el bosque cada vez más oscuro, más denso, más salvaje, mas parte de mí, yo más parte de él.

Las ramas me rozan la piel a la velocidad que avanzo, el pelo se me enreda, oigo que Jake me llama en la distancia y creo que también ha echado a correr detrás de mí, pero no me doy la vuelta. Cada poro de mi piel necesita diluirse, levitar, liberarse, despertar. Corro muy rápido, el suelo está húmedo, huele a tierra mojada, las hojas se agitan, oigo el viento, distingo el viento, un animal chilla, o canta o lo que sea, los zapatos se me llenan de barro, las enredaderas cubren los troncos de los inmensos árboles que me rodean y dejo de sentir las piernas. Y corro. Como si de algún modo estuviera fuera de mí, como una niña pequeña que huye del lobo, huyo de la realidad, me siento mutar, en una metamorfosis, fotosíntesis, simbiosis, catarsis, orgasmo, y de repente ante mis ojos el espeso y denso bosque se abre creando un inmenso claro donde los rayos de sol se cuelan y forman un círculo de luz precioso.

Me detengo, trato de recuperar el aliento y me maravillo. Como nunca en mi vida. ¿Cómo puede haber tanta belleza en el mundo? El suelo repleto de flores silvestres de tonos morados, blancos, rosas, amarillos, los árboles rodeándome, atrapándome, poseyéndome y a la vez liberándome. Me arrodillo, lloro y me doy cuenta de que acabo de despertar. Que nunca más seré la misma. Es como si mi cerebro hubiera hecho un *clic*. Irreversible. Indomable. Y me siento fuerte, más fuerte que nunca, y a la vez la persona

75

más frágil del mundo. Este lugar es tan bello que me hace sentirme parte de un todo. De las hojas, del suelo, de los árboles, de los animales que lo habitan, de los terneros que acabo de ver morir, de su dolor, que ahora es mi dolor. Y de su paz al fin, tras una vida miserable, que ahora también es mi paz. De cada habitante de este planeta, humano o no, con el que he coexistido hasta ahora sin ser consciente, me siento a su nivel, en igualdad de condiciones y de derechos. Conectar. Reconectar. Desconectar. Lo que sea.

Jake aparece desbocado y al verme se queda inmóvil, su pelo revuelto le da una imagen feroz y jadea como si hubiera corrido como nunca en su vida. Él, su agitación, su expresión, entre la preocupación y la pura emoción por haber podido conectar conmigo. Por haber logrado que yo vea. Su imagen es evocadora, potente. Saco la cámara que llevo en la bolsa que aún cuelga de mi espalda, sé que no debería hacerlo, sé que no debería romper esta magia, este momento, pero lo hago. Lo fotografío. Y lo hago como jamás lo había hecho antes, sin pensar en nada, ni en la luz, ni en el encuadre, ni en pedir permiso, ni en él siquiera, solo disparo y capturo este instante. Se lo robo al tiempo para siempre. Es mío. Siempre lo será. Suelto la cámara, como si acabara de disparar un arma, y lo miro. Como si acabara de hacerle el amor. Me siento poderosa.

—Lo siento, no sé qué me pasa. No entiendo nada...

—Lo entiendes todo, Flor, tu reacción te delata, lo que te ocurre es que lo entiendes. La mayoría de la gente, cuando les pregunto si quieren ver la verdad dicen que no. Que prefieren no saberlo. Mel nunca me ha dejado mostrarle lo que tú acabas de ver.

Con la cara empapada en llanto, aunque para nada avergonzada, trato de secarme las lágrimas.

—No pretendía que sufrieras —me dice mientras se arrodilla a mi lado—. Pero esta es la realidad. Acabas de sacar a la mujer salvaje que llevas dentro. Tu lado más animal. Instintivo. Explosivo. Tu verdadero ser. Esta eres tú, tú conectando con todo lo que te rodea por primera vez. Siendo consciente de que no eres el centro del universo sino una simple parte de él. Junto a todos los demás que habitamos el planeta. Y estás preciosa. Debes saberlo.

Sus palabras reactivan mis sentidos.

—No tenía ni idea, me siento muy extraña...

—¿Pero bien?

—Lo curioso es que sí. Con todo lo mal que lo he pasado, me siento bien, como en paz... —dudo de la coherencia de mis palabras, de mis sentimientos.

—Porque acabas de despertar, y a partir de ahora siempre será así. Si tú lo deseas, claro. Los sentirás como iguales, a todos, a los árboles, a los animales, a las personas. Diferentes en cuanto a capacidades y aptitudes, pero iguales en cuanto al derecho a la vida. De habitar este planeta. Para la Tierra, tiene el mismo valor una pequeña flor salvaje que tú. La tribu de mi abuelo siempre rezaba a los espíritus de la naturaleza para que hicieran soñar a los conquistadores con flores salvajes.

—¿Soñar con flores salvajes?

—Creían que si eran capaces de conectar con la naturaleza, con su belleza, como acabas de hacerlo tú, dejarían de destruirla, de aniquilarla, de matar a seres inocentes y de saquear y destruir los pueblos aborígenes y toda su sabiduría y riqueza —me dice mientras arranca con sutileza un flor y la deja en mi regazo.

Es la persona más maravillosa que he conocido jamás.

—No tenía ni idea de que fuera así. Lo de la carne. Ni de que fuera capaz de sentir esta conexión con... con todo.

—Es el mayor truco de magia de la historia. Convertir a alguien en algo. La gente, cuando ve su plato de carne, no piensa que esa carne era alguien que quería vivir.

77

Indignado y herido, se le derrama una lágrima y yo creo que acabo de enamorarme de este hombre por completo. Acaba de tocarme el corazón de un modo que nadie hizo ni podrá hacer jamás, acaba de quitarme la mayor venda de los ojos que alguien puede llevar y a la vez acaba de liberarme del peso más insoportable: mi incoherencia a la hora de decir que amo a los animales. Estaba claro que no sabía lo que decía. Pero ya no quiero formar parte de esto nunca más. No me atrevo a decírselo, pero no lo dudo ni un momento.

—Me siento culpable y también engañada, como si hubiera sido una simple idiota, y quiero entrar ahí y detener eso. ¿Cómo puedes saber que sucede semejante atrocidad y no hacer algo para detenerlo?

—Lo hacemos, lo hacemos. Pero no podemos hacer mucho más. La casa de mis padres no es solo un hostal, es un Santuario.

—¿Un Santuario?

—Como un refugio de animales, pero destinado a los de granja. Salvamos animales de la industria cárnica y lechera y les damos la vida que merecen.

—¿De veras? Oh... —Me alivia ese atisbo de esperanza.

—Susi, la vaca que has visto en casa, fue rescatada de todo esto que acabas de ver. Y tenemos muchas más.

—Oh, Dios. —Se me escapa un suspiro.

—No llores más, por favor, no has hecho nada mal. A eso me refería con lo de cuando sois ignorantes, no podemos culpar a alguien por hacer algo que está mal si ni siquiera sabe que está mal.

—Sí, pero... —le interrumpo, pero él posa uno de sus dedos en mis labios impidiéndome que siga hablando e intentando calmarme. Cierro los ojos al contacto de su piel con mi boca.

—Será mejor que volvamos, he de ir a buscar a... Mel, he quedado con ella para comer y aclarar cómo va a ser el *catering*.

Por su tono de voz intuyo que no quiere irse.

—Sí sí, dame un minuto.

Toda la magia se desvanece y me siento desnuda. Necesito serenarme y respirar antes de aparecer así por la casa.

—No hay prisa. —Se levanta despacio y empieza a andar por el bosque, alejándose, dirigiéndose hacia su ranchera mientras me quedo sentada agotando mis últimas lágrimas de dolor.

En el viaje de vuelta estoy absorta, Jake no para de mirarme, casi más que a la carretera, mientras mi mente por primera vez en mi vida está en blanco.

—Eres preciosa, Flor.

Su voz me sobresalta pero también me arranca de mi dolor. Suspiro, sigo sin poder pronunciar palabra y me muerdo el labio inferior en el intento de no soltar otro.

—El día que te conocí, en el paso de cebra, cuando te vi... No sé, había algo en ti, como...

—¿Como qué? ¿A qué te refieres?

—Como si estuvieras pidiendo a gritos que alguien te salvara.

Un leve hormigueo crece y muere en mi estómago. Me pongo a pensar. En mi vida, en lo que considero mi hogar, en mi trabajo y en Roy.

El trayecto se me hace eterno. No volvemos a hablar. Cuando llegamos al Santuario, Joan está arreglando las flores del porche y al verme, abre los ojos como platos y encara a Jake con una expresión de «No habrás sido capaz».

—Sí, mamá, ella quería saber y yo...

Joan sabe perfectamente a lo que se refiere, se acerca a mí, me abraza y me invita a entrar y comer algo.

79

Se conocen a la perfección y parece que mi cara me delata. Ni siquiera veo cómo Jake se va, aún estoy en *shock* y no tengo hambre.

—¿Quieres comer un poco, Flor? Es muy tarde e imagino que no habréis comido. He preparado un poco de arroz con setas y salsa de arándanos. Te he guardado una ración para cuando llegaras.

La verdad es que suena genial y el olor agridulce casi logra abrirme el apetito pero solo me apetece tumbarme y dormir.

—Prefiero ir a mi habitación un rato, quizá después. Gracias.

—Oh, claro. Tienes un gran corazón, preciosa.

No capto bien a qué se refiere pero necesito desaparecer y me retiro a mi habitación. ¿Qué habrá visto en mí esta familia para dedicarme tales cumplidos?

10

*T*ras una hora mirando el techo y sin pensar en casi nada oigo vibrar el teléfono. Es Syl.

> Amor, ¿cómo va el viaje? ¡Espero que genial! No olvides la reunión por Skype que tienes hoy a las 17 h, o sea, en media hora. Es la pareja de Nueva Jersey. Un beso!! Cuídate. Syl.

No tengo humor para nada, así que le contesto:

> Cancélala, por favor, tengo cosas que hacer, no llego a tiempo para conectarme. Gracias, todo genial por aquí.

Le miento sin más intención que la de evitar hablar ahora mismo con unos clientes.

No puedo parar de dar vueltas a la idea de cuán engañados estamos con nuestro consumo de animales pero ahora me invaden mil dudas. ¿Hasta qué punto es sano no comer carne? ¿Cómo puede afectarme? Parece que no afecta mucho porque toda la familia de Jake goza de una salud de hierro, cada poro de su piel respira juventud y buenas energías, pero ¿cómo lo hacen? ¿Cómo pueden sustituir las proteínas?

Estoy hecha un lío y empiezo a tener hambre.

Paso el resto de la tarde sin moverme de la cama. Haciendo esbozos pero con la cabeza en otro lugar.

En el rato que hemos estado abrazados, en el modo en que me sujetaba fuerte entre sus brazos, como en el paso de cebra en Nueva York, en la misma sensación de seguridad que me transmitió, en cómo me miraba en el coche y el modo en que me ha dicho que soy preciosa. Estoy totalmente confundida con él. Empiezo a tener sentimientos que van más allá de la típica sensación de agradecimiento por haberme salvado aquel día. Todo es muy extraño y me siento mal por Roy. Pero creo que lo único que me apetece es pasar más tiempo con Jake.

Acerco mi bolsa y cojo la cámara. La enciendo y ahí está. La única foto que hay en la tarjeta de memoria. Él. Es la primera vez que solo saco una foto de algo. Suelo hacer miles, probar hasta encontrar la que me gusta. Pero esa fotografía es diferente. Saco la tarjeta de memoria y la pongo en mi portátil. Descargo la imagen y la abro, la miro ampliada y por primera vez siento que he hecho la foto más bonita del mundo. Su cuerpo, su cara, el bosque detrás de él, los rayos de sol a través de las ramas. Esa mirada. Revivo la agitación del momento y sin dudarlo me envío la fotografía al móvil. La recorto, de modo que solo se vea el paisaje y no a Jake, no quisiera tener que dar explicaciones. Cargo el fragmento de imagen de flores y bosque a Instagram y escribo el hashtag:

#eldiaquesueñesconfloressalvajes

Le doy a aceptar y me siento un poquito mejor. Como

si en cierto modo hubiera soltado al mundo lo que acabo de vivir. Solo yo sé lo que significa esa foto, mejor dicho, el momento que representa. Yo y él. Otro secreto que nos une, otra mentira. Más complicidad.

Se ha hecho tarde. Ya es la hora de la cena y no me apetece en absoluto bajar pero hemos quedado en cenar todos juntos y no puedo fallar.

Mel y Jake ya están abajo, les acabo de oír entrar, ahora están hablando con el abuelo. Percibo una voz masculina que no soy capaz de identificar. Pensar que Jake está aquí después del rato que hemos pasado me provoca un nudo en el estómago. «De acuerdo, Flor, finge que todo está bien. Respira. Normalidad ante todo. Tu puedes.» Tengo que bajar sí o sí.

Me cambio de ropa, me pongo unos vaqueros negros rasgados por las rodillas y un top de punto blanco, cortito y holgado, que deja entrever ligeramente mi ombligo según cómo me mueva. Me miro al espejo, tengo un aspecto horrible. Qué asco. Enrollo mi melena en un moño mal hecho, me pongo un poco de máscara de pestañas, pintalabios rosa clarito, y bajo con mucha calma. 83

Joan me ve y me hace un gesto para que me una a los demás mientras ella acaba de poner la mesa, pero prefiero ir con ella a la cocina y ayudarla.

—Cielo, te presento a Robert, mi marido. Aún no habíais tenido ocasión de conoceros. Estaba fuera por trabajo.

—Encantado —me saluda con un par de besos y fija sus ojos en mí de una manera un tanto extraña.

—Un placer, señor.

—Es española —le cuenta Joan a su marido mientras él sigue mirándome como si intentara descifrar un enigma complejo.

—Papá, ¿qué miras así? —se ríe Jake.

—Oh, disculpa, es que me has recordado a alguien.

Tonterías mías. —Intercambia con Joan un gesto de complicidad.

Qué cosas más raras tiene esta familia.

Saludo a Mel y a Jake y sigo a Joan hasta la cocina.

Una vez en la cocina, Joan me da un abrazo. Como si de algún modo supiera por lo que estoy pasando y qué es lo que necesito.

—¿Estás mejor?

—No sé, la verdad creo que no —contesto honestamente.

—A mí me pasó lo mismo. El día que vi ese horror fue un día que no olvidaré jamás. Sé lo duro que es creer una cosa y darte cuenta de que es todo lo contrario. He preparado una cena ligerita, un caldo de cebolla caramelizada y un poco de ensalada con frutas del bosque y palitos de tofu rebozado.

—La verdad es que suena genial pero me he quedado con ganas de probar el arroz del mediodía…

—Oh, claro, he guardado tu plato por si te apetecía más tarde.

Salimos hacia el salón con un par de platos cada una.

—¡Todos a la mesa, familia! —dice Joan con su característico buen humor y todos la obedecen a la primera.

—Flor, ¡ya está decidido! Tendremos *catering* vegetariano y Joan se encargará de cocinarlo. ¿Quién mejor que ella para preparar platos tan buenos como este? —Se nota que Mel se ha visto entre la espada y la pared porque la falsa emoción que transmite no tiene nada que ver con la conversación que ella y yo tuvimos.

El ambiente es un poco tenso e intento animarlos.

—Me parece la mejor decisión que has podido tomar, por el bien de todos. —Miro a Jake, que hace un pequeño asentimiento como entendiendo que con la palabra «todos» me he referido a los animales.

—Joan es una gran cocinera, será una boda con un *ca-*

tering exquisito. ¡No lo dudo! —Mel se esfuerza por mostrarse feliz, aunque tanto su expresión como la de Joan me parecen un poco forzadas—. ¿Qué has hecho hoy? ¿Te has aburrido mucho? Tienes cara de cansada.

Jake casi pega un brinco tras las preguntas de su novia, lo que aún me incomoda más, y vacilo al contestar:

—Oh, he estado haciendo unos esbozos de la decoración de la boda y luego...

Jake me interrumpe:

—¡Luego me los ha enseñado para ver qué me parecían!

—Oh sí sí. Le han gustado mucho. —Más mentiras. Cosquilleo. Intercepto las miradas que se cruzan Jake y Joan. Me ruborizo. Que alguien me haga desaparecer, por favor. Más complicidad.

—¿Puedo verlos? ¡Qué ilusión!

—Claro —contesto nerviosa—. Los tengo en la habitación, luego te los bajo.

—Genial. Que aproveche. ¿Comemos? —propone Joan.

Durante la cena hablan de recuerdos de la infancia de los padres de Jake y de cómo este conoció a Mel; debo admitir que mi cabeza no está aquí en absoluto. Al acabar, Mel me dice que mejor le enseñe los esbozos mañana, está cansada y quiere irse a dormir cuanto antes. Me da un abrazo y quedamos en almorzar juntas en su cafetería. Jake me da dos besos para despedirse y noto que se acerca demasiado a mi boca, rozando la parte de mi mejilla muy cerca de mis labios. Se acerca tanto que temo que alguien lo haya visto. Empiezo a pensar que me estoy obsesionando y viendo intenciones donde no las hay. Pero no, al separarse me sostiene la mirada como si una parte de él no quisiera irse aún. La confusión vuelve a invadirme y subo rápidamente a mi habitación.

Llamo a Roy, necesito un poco de cordura.

—Buenas noches, princesa. ¿Cómo estás? —Su voz firme y familiar me reconforta un poco.

—Bien, cariño, tenía ganas de hablar contigo.

—Y yo. ¿Cómo van las cosas por ese pueblo de mala muerte?

—Estoy aprendiendo muchas cosas de la vida en el campo y parece que ya se ha solucionado el conflicto sobre el *catering*.

—¿De qué conflicto hablas?

—Lo que te he dicho antes de la comida.

—No lo recuerdo…

—Nada, olvídalo.

—¿Tienes ganas de volver?

—Pues la verdad es que estoy desconectando mucho. En cuatro días estoy de vuelta, así que voy a aprovechar para visitar la zona.

—Genial. Haz muchas fotos y llámame de vez en cuando, ¿vale?

—Puedes llamar tú también. ¿Cómo va el proyecto del edificio con Alex?

—¡Oh! ¡Viento en popa! Superbien, estoy aprovechando mucho estos días solo.

—Me alegro. Oye, Roy, una pregunta… Si me planteara el hecho de ser vegana, ¿qué opinarías?

Cinco segundos de silencio y de repente Roy explota a reír.

—¿Vegana tú? Eres incapaz de renunciar a tus bolsos de piel y tus abrigos de cuero.

Su respuesta me ofende, pero por una parte reconozco que hasta el momento nunca me lo había planteado de ese modo.

—Oye, no te estarán comiendo la cabeza, ¿no?

—Oh, no no, es solo que, bueno, la comida está riquísima y los animales, no sé, pobrecitos…

—¡Anda ya! La vida son dos días, es ley de vida. Bueno, cariño, me voy a acostar. Buenas noches, te quiero.

—¡No es ley de vida! —salto alterada recordando la experiencia de esta mañana, pero antes de acabar la frase Roy ya ha colgado el teléfono sin dar importancia a mi argumento.

Me inunda una pena y una impotencia tan grandes que hacen que se me escape una lágrima. Desde el día en que conocí a Jake en Nueva York estoy sacudida por sensaciones nuevas que me hacen sentir insegura y a la vez renacida. Será mejor que me acueste y descanse. Ha sido un día muy intenso.

11

*L*os rayos de sol se cuelan entre las cortinas de la habitación, siento el calor en mis mejillas y una energía desco-
nocida me impulsa a levantarme de la cama. Estoy alegre,
en comparación con el ánimo tan arrastrado de ayer. Aún
es temprano y voy a aprovechar para bajar al campo a hacer unos esbozos de la boda como Dios manda.

No hay nadie en la cocina, así que cojo una manzana
y me dirijo a la parte trasera de la casa con mi libreta y
un lápiz. Dibujo el precioso sauce lleno de corazones
colgantes de madera de diferentes tamaños tallados a
mano, de color blanco. Un sofá antiguo de color beige
debajo del árbol, donde se sentarán los novios, y una
cesta de mimbre con peonías y camomila que quedará
preciosa con el contraste verde del fondo y una mesa antigua pequeñita donde se situará el oficiante de la ceremonia. La decoraré con flores y alguna que otra planta
crasa. Las sillas para los invitados serán de mimbre con
cojines de color azul pastel con rayitas blancas. El pasillo, repleto de pétalos blancos y velas encima de troncos

perfectamente cortados delimitarán el camino al altar.

Parece un marco de cuento para una boda especial, estoy segura de que a Mel le encantará. Diseño una disposición de cuadros de diferentes tamaños con unos marcos de color dorado y otros de color blanco para colgar en la pared de madera desgastada del granero que queda a la derecha del sauce, donde colocaré fotos en blanco y negro del reportaje romántico preboda que he de realizar uno de estos días antes de irme.

Una vez hecho el boceto, visualizo cómo quedará y por primera vez envidio a una de las novias a la que voy a retratar. Envidio su vida en este precioso lugar, envidio la familia de su novio y, para mi sorpresa, envidio su relación con Jake. Me cuesta entender que ella no sea capaz de ver a través de los ojos de él y compartir su estilo de vida.

Me atrevo a entrar en el granero y descubro que tiene una puerta trasera. Me acerco a los terneritos y me agacho para abrazarlos. Le doy un beso en la cabecita al más cariñoso y acaricio el hocico de la madre, que está comiendo sin alejarse de sus crías. Me dirijo a la puerta trasera y la abro: da a un prado que no se ve desde la casa y que comparten caballos, gallinas, ovejas, cabras y gatos. Solo hay unos cuantos ejemplares de cada especie pero la escena parece de película. Todos conviven en armonía, con unas colinas al fondo de un verde tan intenso que duele.

La imagen de una cabra durmiendo junto a un gato bajo la sombra de un arbusto me enternece. Una mano en mi espalda me sobresalta.

—Hombre, la fotógrafa por aquí. —Lonan, el abuelo de Jake, me saluda risueño.

—Buenos días, señor, disculpe por la intrusión. Tenía curiosidad.

—Oh, tranquila, les encanta tener gente nueva a la que olisquear.

89

Rápidamente el caballo y uno de los cerditos se acercan a mí. Mientras el caballo me da golpecitos con el hocico para jugar con mi pelo, el cerdito me muerde los cordones de los zapatos. Acaricio a uno y luego al otro entre risas provocadas por esos juguetones.

—Qué bonitos son. Me encantan.

—Sabía que te gustarían en cuanto te vi. Bienvenida al Santuario.

—¿Con que este es el famoso Santuario? Un precioso lugar y una preciosa labor, sin duda.

—¡Sí! Es muy bonito y muy duro —confiesa el abuelo con orgullo.

—Ya imagino...

—¿Sabes?, la madre naturaleza nos brinda cosas maravillosas que debemos apreciar —me cuenta mientras acaricia al caballo y cierra los ojos un instante. Su voz denota calma y sabiduría—. Cosas como los rayos del sol después de una larga tormenta, un bonito atardecer mientras paseas por la orilla de la playa, las flores, el canto de los pájaros, el amor incondicional de los animales, el viento, la lluvia, las nubes, la tierra... Todo, todo es un regalo que nos es dado y que debemos valorar y, sobre todo, cuidar. Las Smoky Mountains, por ejemplo, son el legado de mis ancestros. Estaban habitadas por mi tribu, los cherokees, mucho antes de que llegaran los colonizadores a finales de 1600. De hecho, el nombre de estas misteriosas montañas viene de nuestro idioma. Las llamaban *Shaconage* (Sha-Kon-O-Hey), que significa 'la tierra del humo azul'. Cobijan un sinfín de vida salvaje. Equilibrio natural. Me pregunto cómo puede ser que haya gente incapaz de apreciar su belleza.

El relato de Lonan me transmite paz.

—Todos estamos conectados, todos formamos parte de este enorme ser vivo que es la Tierra. ¿Cómo si no explicas el modo en que ella sola se autorregula? El ascenso de las temperaturas cuando es necesario que se deshagan las nieves o la formación de las tormentas cuando falta agua en algún lugar. ¿Acaso crees que los huracanes, mareas, tsunamis y demás fenómenos se producen sin más? No es así. La Tierra crea las condiciones óptimas para seguir engendrando vida y nosotros no somos más que pequeños organismos que formamos parte de ella. Al igual que nuestro cuerpo está formado por miles de millones de otros organismos, microbios, bacterias, células..., que también son los causantes de todo lo que ocurre en nuestro interior y en nuestras vidas. Lo mismo somos nosotros para la Tierra.

Asiento con la cabeza realmente fascinada.

—¿Cómo explicarías, si la Tierra no fuera un ser vivo, que sea capaz de crear vida? Los árboles, los ríos... Es increíble apreciar su belleza, en cascadas, pantanos, bosques, desiertos, o la nieve, las auroras boreales...

Sus enumeraciones producen en mi cerebro una explosión de imágenes maravillosas que me provocan un placer y una tranquilidad increíbles. Tenía razón Jake sobre lo sabio que es su abuelo.

—Tiene toda la razón del mundo, jamás había reparado en estas maravillas.

—Estamos destruyendo el ecosistema, nuestro propio ecosistema, ningún animal jamás fue tan insensato como para destruir lo que le da vida. Solo nosotros, y aun así, la Tierra nos sigue regalando su increíble belleza. La gente no entiende que el planeta actúa como nuestro cuerpo. Cuando enfermas, tu cuerpo lucha contra ese virus con tal de sobrevivir, sin importarle cuántos microorganismos propios mueran en la batalla.

»El calentamiento global hace que suban las mareas y la Tierra se inunde, así que con tal de salvarse ella tampoco tiene en cuenta cuántos animales podemos morir en el proceso. Y aun así, nos da las condiciones perfectas para seguir sobreviviendo. Pero esto acabará. Todo este regalo que estamos destruyendo llegará a su fin y entonces, ¿qué haremos?

»Hay mucho en lo que pensar y mucho que valorar, hija mía. Si ahora mismo desaparecieran todos los insectos del planeta, en cincuenta años la vida se extinguiría. Sin embargo, si desapareciéramos todos los humanos, en cincuenta años el planeta sería pura vida. Renacerían nuevas especies y el planeta se volvería verde. Interesante, ¿no crees? ¿Me ayudas a dar de comer a las crías de las ovejas?

Estoy embobada, quiero aprender más y más.

—Claro, pero siga contando...

—Gracias por interesarte en estas reflexiones. Hoy en día somos tan pocos...

—Ya veo...

Me doy cuenta de lo mucho que me está tocando el corazón esta familia, este viaje, este lugar.

—Lo que no sabemos es que no tenemos tiempo. Somos tan efímeros, tan vulnerables, tan frágiles, hoy estás pero ¿y mañana? ¿Por qué no vivir de la manera más pacífica y feliz posible? ¿Por qué no hacer por los demás lo que nos gustaría que hicieran con nosotros? ¿Por qué no cuidamos y valoramos aquello que nos es regalado? Te lo diré, jovencita. Porque no somos conscientes ni de nuestra propia existencia. Las personas viven sin tomar conciencia de por qué están aquí, sin sentir ni la mitad de la inmensidad de cosas que hay por sentir. Yo les llamo robots. Del trabajo a casa, de casa al trabajo. ¿Eso es todo? ¿De veras crees que hemos venido a este precioso lugar donde podemos sentir, amar, reír, correr, nadar... solo para esclavizarnos en una oficina y llegar a casa y pagar facturas y discutir y preocuparnos? ¿Todo para ganar dinero para seguir viviendo con esta pésima calidad de vida? ¿No crees que la vida es algo más? Las cosas realmente vitales son gratis, como el agua, la comida, el oxígeno. Lo verdaderamente esencial no vale dinero y aun así dejamos que nos exploten para ganar un sueldo y poder comprarlas. Solo hay que cambiar la perspectiva. Por eso nosotros vivimos así. Nos abastecemos de nuestro huerto, tomamos el agua de nuestra tierra, los pozos, las fuentes naturales siempre estuvieron aquí. ¿Por qué gastar el dinero en cosas que no son naturales, cubiertas y repletas de productos químicos que solo hacen que enfermemos y que necesitemos más dinero para pagar médicos y medicinas? ¿Por qué no lo ve la gente? ¿Por qué no despiertan?

No puedo dar crédito a que nunca se me hayan ocurrido esas ideas que parecen tan evidentes, mi mente se revoluciona, siento ganas de salir corriendo, de hablar de esto con más gente, con el mundo entero. Pero no hago más que asentir con la cabeza y esperar más enseñanzas.

—No me mires así. Tú eres diferente, aunque no lo sepas; yo lo sé. Lo vi, lo veo en tu mirada. No te quedas indiferente, está ocurriendo algo en tu interior, algo está creciendo, cambiando, estás despertando, bella Flor. Según me contó mi nieto, ahora mismo podrías estar muerta. Pero él te vio. Hay personas que se cruzan en tu vida y actúan como un catalizador. Todo esto que crees estar aprendiendo ya estaba en tu interior, de otro modo no estarías sintiéndote así ahora mismo. Si no, ¿por qué crees que esto no interesa a todo el mundo? Porque no está en ellos. Porque no tienen esa alma, ese corazón, esa mente, llámalo como quieras. No tienen esa fuerza que los ayuda a ver. Están destinados a vivir una vida sin sentido, repleta de cosas materiales y emociones baratas.

»La vida es mucho más. Cuando logres deshacerte de esa venda que llevabas, verás cómo tus sentidos se multiplican, tus emociones se disparan. Ya nunca volverás a contemplar

93

un amanecer del mismo modo. Ya lo verás… Eso nos ocurre a todos. Cuando empiezas a vivir en armonía con la fuerza más poderosa del mundo, el amor, toda tu vida da un vuelco. Pero no quiero adelantarte acontecimientos.

«¿Adelantarme acontecimientos?», pienso algo aturdida y recuerdo mi conmoción al salir del matadero.

—Es usted la persona más increíble que he conocido —le digo de forma espontánea y con un tono muy emotivo.

—Ay, jovencita, no soy increíble, solo soy un viejo indio que no ha salido nunca de sus montañas. Un ignorante —dice con sarcasmo y señala a tres corderitos que tendrán como mucho tres meses—. ¿Me ayudas a alimentar a estas fieras?

Tras una hora dándoles el biberón y oyendo las historias de Lonan sobre los orígenes de los nativos americanos, cada vez me doy más cuenta de lo equivocada que estaba en general. Cada vez me dan más ganas de hacer un cambio en mi vida y cada vez me dan más ganas de abrazar a Jake y a Mel por brindarme este regalo de viaje que está siendo tan revelador. ¿Qué he estado haciendo todo este tiempo?

12

$\mathcal{Y}$a es la hora de comer, tras las largas conversaciones de esta mañana con Lonan y la hora que llevo en mi habita- ción ultimando detalles para la boda, he podido avanzar bastantes bocetos para enseñárselos esta tarde a Mel. Pero la verdad es que no he parado de dar vueltas a mis impactantes descubrimientos.

Mientras ya me llega el aroma a comida recién hecha y me despierta un hambre voraz, acabo el último boceto de las mesas del convite. Me siento mucho mejor que ayer, sin duda. Algo confundida aún, pero con ganas de aprovechar al máximo los días que me quedan. El olor que viene de la cocina me hace levantarme de la cama y bajar las escaleras para ver qué exquisitez está preparando Joan. Me extraña el silencio que hay en la casa, Joan se ha pasado toda la mañana fuera y no la he oído llegar. Normalmente se oye su música, el ir y venir de Lonan, o a Robert, el padre de Jake, tan educado y reservado, junto a otros sonidos que ya me suenan más que familiares, pero hoy parece como si no hubiera nadie.

Entro en el salón, está vacío. Un ruido en la cocina me dirige hacia ella y entonces veo a Jake, que sale con el delantal puesto y lleva un plato en una bandeja.

—¡Oh!, Flor, pensé que estaba solo. ¿No tenías que ir a hacer recados hoy?

—Ho... hola, Jake. —Me pongo nerviosa—. Sí, pero al final me he quedado trabajando en el ordenador. No quiero molestarte. Saldré a comer algo por el pueblo. ¿Dónde están todos?

—Pero ¿qué dices? No me molestas. Han ido a la ciudad a hacer cuatro compras, pensé que no estabas, por eso no te he avisado. ¿Te apetece comer conmigo?

Su amabilidad me conquista y acepto sin dudarlo. Me muero por contarle todo lo que he aprendido hoy y cómo me está cambiando esta visita.

—¿Cómo te sientes hoy? —me pregunta mientras se dirige a la cocina a por otro plato.

—Terriblemente vegana —intento que suene gracioso, aunque hablo completamente en serio. Me apoyo en la mesa sin sentarme y lo miro de arriba abajo.

—¿De veras? —Pone cara de sorpresa mientras viene con mi plato.

—Me siento increíblemente renovada, pero todo es tan extraño..., estoy lejos de casa, muy lejos... —Suspiro pensando en Barcelona, en mi abuela, mi hermano, mis padres—. Y no sé, estoy algo confundida, mi actitud es muy poco profesional, no sé...

—Deja de decir tonterías, no te veo como una empresa, ni me veo como tu cliente, ¿de acuerdo? Olvídate de ser profesional conmigo. Me gusta cómo eres, me gusta verte sensible y me gusta considerarte mi amiga. —Él también emite un suspiro como si se estuviera callando algo y me suelta—: Me caes bien, Flor, eres especial. No dejes de ser tú misma.

Ahora me siento avergonzada al recordar cómo lloré el otro día en sus brazos.

—Gracias, la verdad es que estoy en un momento un poco delicado e imagino que necesitaba este revulsivo. Me siento llena, me encanta este lugar, ¿puedo contarte un secreto?

—Claro.

—Cuando Mel me llamó, no tenía ningunas ganas de venir, más bien quería cancelar el trabajo, pero algo en ella y su manera de ser me convenció.

—Sí, Mel puede ser muy convincente si se lo propone —dice con una mueca de impotencia.

—Pero desde que estoy aquí, desde que conozco a tu familia, los animales, este entorno… No sé, es un mundo tan especial, tan diferente, tan… no lo sé. Me siento feliz, ¿sabes? Y creo que me había olvidado de lo que era eso. —Observo que Jake me sonríe emocionado—. Siento como si perteneciera a este lugar más que a ningún otro del mundo.

No la pronuncio en voz alta pero recuerdo la frase que mi abuela siempre me decía: «Hogar es donde está tu corazón», pero Jake reclama mi atención:

—Cuando te vi en aquel paso de cebra, con esas prisas, las bolsas, precipitándote a la calzada para recoger el móvil sin pararte ni siquiera a mirar, pensé que eras una más. Una más del grupo de gente que vive sin vivir, en piloto automático, sin detenerse nunca a sentir realmente. Esclavizados por sus trabajos, sus teléfonos, sus relaciones, sus redes sociales.

Lo miro fijamente y reconozco que me siento cien por cien identificada con esa gente a la que acaba de describir.

—Yo no seré perfecto, ni seré millonario en mi vida, nunca tendré cien mil seguidores en ninguna red social, ni ganaré el premio al mejor empleado del año, pero te aseguro

97

que me siento vivo, lleno, realizado y feliz cada día. Siento que tengo todo lo que necesito. ¿Y sabes que es ese todo?

—No. ¿Qué es?

—Tiempo, Flor, tengo tiempo. ¿Sabes lo que es eso?

—Lo cierto es que no. —Trago saliva—. Hace tiempo que no sé lo que es eso, vivo enganchada a mi trabajo, a mi ordenador y a un sinfín de cosas materiales.

—Siento que la gente se equivoca, buscan ser felices trabajando mucho para ganar mucho dinero para comprar muchas cosas para las que al final no tendrán tiempo de disfrutar. No se dan cuenta de que mientras se ofuscan en todo esto pierden ese valioso tiempo que tanto anhelan. No hay mayor riqueza que ser dueño de tu tiempo y, en consecuencia, de tu vida. ¿Cuánto hace que no te sientes dueña de tu vida?

—Uf… Tanto… —admito sin ningún pudor—. Vivo pensando en qué dirán, qué les parecerá a los demás lo que hago, cómo me verán, qué impresión voy a dar, si les gustará mi trabajo, si seré la novia perfecta, la amiga perfecta, la chica perfecta. Y tienes razón que se me ha olvidado lo más importante. Vivir.

—Pues hazlo, Flor, no es tan difícil, lo estás haciendo ahora mismo. He visto a muchas personas pasar por esta casa, personas vacías y personas riquísimas en espíritu, he hablado de esto con la gran mayoría de ellas, incluso con Mel, pero jamás he visto en nadie lo que veo en tus ojos.

Los abro de par en par como si yo también quisiera apreciar lo que hay dentro de ellos.

—Tienes algo, algo especial, magia, no lo sé, no te conozco, pero vi tus ojos el día que te rescaté de ser atropellada, cuando te cogí en brazos, cuando te tuve a salvo, me di cuenta de que había algo en ti, que no eras como los demás, eso de «Lo tiene» que dijo el abuelo. Y vi tus ojos el día en que nos encontramos en el aeropuerto, y cuando te enseñé a los terneros, y cuando entramos en el matadero, y cuando te viniste abajo, y cuando corriste huyendo de tus miedos, y te veo ahora... Solamente intento decirte que hay personas que no lograrán ser libres jamás. Vivirán toda su vida atadas por esas obligaciones ficticias que nos imponen y que ellas creen reales y jamás serán capaces de pasar un solo día en paz. Pero tú eres diferente. Algo se ha activado en ti desde que nos conocemos, lo sé.

—No sabes cuánto... —contesto honestamente. Y no me refiero solo al modo de ver la vida, sino a mis sentimientos también.

—Sí lo sé, Flor. Es como si te conociera de mucho antes de aquel día en Nueva York, cuando aún en mis brazos volviste la cara y te vi...

Da un paso hacia mí, demasiado cerca para permanecer tranquila, me mira a los ojos con más intensidad que nunca, aprieta los labios como si quisiera soltarme una última frase pero niega con la cabeza y da un paso atrás.

—Eeehhh... —murmura—. ¿Comemos?

Sé que está huyendo de lo que iba a decirme. Sirve los platos en la mesa y tengo que dominar mi impulso de abrazarlo.

—Sí, por favor —contesto controlándome. ¿Qué significa ese impulso tan irrefrenable? Tengo hambre pero esta se mitiga porque no puedo dejar de pensar en cada una de sus palabras—. Jake, ¿por qué eres así?

—Así, ¿cómo?

—Así de único, no sé. —Incapaz de explicarme mejor, le provoco una risa entre divertida y triste.

—No soy único, hay más personas como yo, tengo a una de ellas justo enfrente de mí.

—¿Cómo puedes decir eso? Conociéndome como nos conocimos, viviendo como vivo...

—Porque sí, porque te veo, porque te siento, porque

desde que nos conoces no has pensado ni un segundo en irte a comer una hamburguesa o un buen entrecot, porque te he visto rechazar la leche en el café y no comer lo que Mel te ofreció el otro día y porque no has vuelto a usar ese bolso de piel con el que llegaste. Porque sin pedírtelo ni forzarte, has hecho la conexión.

—¿La conexión?

—Dejar de hacer aquello que con tus propios ojos has visto que no está bien, mientras que la mayoría de gente aparta la mirada y sigue haciendo lo de siempre.

En eso tiene razón, ni siquiera me lo he planteado, pero sé que no voy a comer carne nunca más. ¿Cómo podría?

—No entiendo cómo la gente no puede hacerlo —contesto indignada.

—Ni yo, ni yo… —Agacha la mirada y se dirige a la cocina a por la bebida—. He preparado un quiche de puerros con berenjenas y un poco de seitán marinado. Espero que te guste, no esperaba compañía para comer.

—Nunca lo he probado pero huele de maravilla. —Le sonrío agradecida de verdad.

—*Bon appétit!* —dice con auténtico orgullo ante sus platos.

La comida está deliciosa, empezamos a devorarla con ansia y apenas pronunciamos palabra.

—Comes rapidísimo —me comenta divertido.

—Es que está buenísimo —me excuso limpiándome la boca tras el último bocado—. Tienes que enseñarme a cocinar.

—Hecho, aunque solo nos quedan tres días.

¡Dios!, se me había olvidado, ya estamos a lunes y el jueves por la mañana vuelvo a casa y aún tenemos un montón de cosas por hacer.

—Es cierto, ni me acordaba. Tengo que preparar vuestra boda. —Lo expreso como una disculpa y él me devuelve una sonrisa forzada, la típica de cuando algo no va bien y se quiere disimular—. ¿Va todo bien, Jake?

—Sí. —Traga saliva—. Ahora soy yo el que cree que no es profesional contarte mis problemas.

—No seas tonto tú también. ¿Qué ocurre?

—Tú —contesta directa y sinceramente.

—¿Cómo?

—Ocurres tú. Que te he conocido.

Me quedo parada, se me corta la respiración y siento unas ganas locas de besar a este hombre, de salir corriendo, de huir de todo.

—Yo... no sé qué decir.

—No hay nada que decir. Perdona, no sé en qué estaba pensando. —Hace un gesto para levantarse pero soy más rápida y le agarro una mano antes de que se aleje.

—Jake, lo cierto es que te entiendo perfectamente... —empiezo a sincerarme yo también pero me interrumpe. Le suelto la mano.

—No sé, Flor, jamás pensé que conocería a alguien como tú, crees que somos muy diferentes pero sé que eres capaz de ver con mi ojos, de sentir con mis emociones, empatizas tan rápido... y cada vez que te tengo cerca, cada vez que apareces, que hablas, que me miras, joder, Flor, me desarmas, me haces sentir como un niño, me dan ganas de...

El timbre de la puerta le interrumpe y de verdad que es el peor momento del mundo para que llegue alguien. Tengo todas las mariposas del planeta revoloteando por mi estómago. Jake se dirige a la puerta con fastidio y oigo cómo la abre.

—Hola, muy buenos días. Mi nombre es Roy, vengo buscando a una fotógrafa de Nueva York, Flor Sanz. Estoy un poco confundido, debía localizar un hotel pero esto parece más bien una casa...

«¡Dios mío, Roy! Pero ¿cómo puede ser? ¿Qué hace

aquí? ¿Por qué? No puede ser cierto. Me dirijo hacia la puerta, Jake está de pie frente a él, lo mira de arriba abajo, con su traje perfectamente impoluto, un maletín y un ramo de flores. ¿Qué hace con un ramo de flores? En la vida me ha regalado flores.

—¡Hey, cariño! ¡Sorpresa! —dice nada más verme.

—Roy…, pero ¿qué haces aquí? No te esperaba.

—Lo sé, princesa. Soy un romántico. —Da un paso adelante ignorando a Jake sin que nadie lo invite a pasar.

Jake parece recuperarse del impacto cuando nos dice:

—Bueno, os dejo. Pasad una buena tarde, ya le digo a Mel que te llame. —Me dedica una mirada frustrada, sonríe a Roy con educación, le estrecha la mano y se va hacia la cocina.

13

*S*ubimos a la habitación mientras maldigo a todos los dioses porque él esté aquí, me siento fatal porque no tenía ningunas ganas de verlo ahora mismo. Necesitaba seguir la conversación con Jake, sincerarme, contarle lo que pasa por mi cabeza…

—Pero ¿quién coño es ese bicho raro que me ha abierto la puerta? ¿Has visto con qué cara me miraba? ¿Nunca ha visto un traje Chanel o qué? Qué mal gusto. ¿Adónde va así vestido? Aunque, mejor dicho, cariño, ¿adónde vas tu así vestida?

—¿Cómo voy, Roy?

—Así, con esa coleta y esos tejanos manchados de tierra. —Se echa a reír ante mi mueca de desprecio—. Venga, ¿no vas a dar saltitos de alegría y decirme que estás contenta de verme aquí?

—Es que no entiendo qué haces aquí —contesto con dureza aun sabiendo que no lo merece.

—Joder, esperaba un poco más de alegría, es una sorpresa. Quería pasar unos días contigo por aquí. Tan bonito que dices que es…

—Sí, cariño. Gracias, pero tengo un montón de cosas que hacer y solo me quedan tres días. No puedo estar pendiente de ti, no se trata siempre de cuando a ti te va bien. Yo también tengo mis cosas. Mi trabajo.

—Pero ¿qué bicho te ha picado? Pensé que te alegrarías. —Su voz suena a decepción.

—Sí sí... Me alegro, pero no sé, no me lo esperaba y estoy algo agobiada. ¿Has comido?

—No, esperaba llevarte por ahí a comer algo que no sean guisantes —dice «guisantes» burlándose y muy bajito para que nadie le oiga.

Me parece ridículo pero no tengo ganas de hablar ahora.

—Ya he comido, pero vamos, te acompaño. Luego he quedado con la novia para enseñarle unos bocetos.

104

Tras dos horas en el restaurante más caro del pueblo viendo a Roy comer, me doy cuenta de que voy a ser incapaz de volver a consumir carne nunca más. Al acabar nos dirigimos a la cafetería en la que trabaja Mel.

—¡Buenas tardes, parejita! Qué ilusión conocer a tu marido. Ya me ha avisado Jake. Encantada, soy Mel —se dirige a Roy y le estrecha la mano, me mira con cara de «Qué afortunada eres, qué elegancia de marido tienes».

—Mi novio —puntualizo sonriendo y les presento.

—Futuro marido —me corrige Roy—. Os dejo que trabajéis tranquilas, voy a por un periódico, estaré tomando algo en esa mesa.

Pasamos una hora viendo mis esbozos y mi selección de fotos de inspiración. Cada vez está todo más claro. El *catering* solucionado, la empresa que se encargará de alquilarnos la decoración y el mobiliario también. Luces y cubertería, cerrado; solo falta confirmar el dj y los músicos.

Noto a Mel algo ausente, así que me muestro enérgica y entusiasta para animarla. Creo que me estoy metiendo en medio de la relación de esta pareja y que no debería hacerlo en absoluto.

—¿Cómo sabes que es el definitivo? —me pregunta de repente señalando a Roy con la cabeza.

—No lo sé. —Sonrío con tristeza. Me pilla desprevenida pero decido contestar honestamente y eso me alivia en parte.

—¿Cómo? —Está claro que Mel esperaba otra respuesta.

—Me refiero a que no se sabe. Creo que es un riesgo que hay que correr, no creo que sea algo que se sabe sino más bien algo que se decide. Decides pasar el resto de tu vida conociéndolo, cuidándolo y haciéndolo feliz. Antes solía pensar que era algo que se intuía, que se sabía… Ahora ya no. —Sonrío para quitar hierro al asunto pero en realidad esa afirmación hace que me sienta bastante desdichada.

—¿Y es normal dudar?

Vuelve a descolocarme y, aunque por una milésima de segundo me alegro al pensar que quizá dude de su futuro matrimonio, intento convencerla de que es lo más normal, aunque en el fondo estoy tan perdida o más que ella.

—Pues claro, Mel, son semanas de mucha presión, los preparativos, motivos de discusión, nervios, es normal plantearte si es lo correcto, vais a dar un gran paso y es importante estar bien seguros. Pero después de tantos años creo que no hay nada que no sepáis aún el uno del otro.

—Cierto. Perdóname, Flor, es que me da miedo hasta pronunciar estas palabras y tampoco sé con quién hablarlo, es difícil. Tengo muchas ganas de pasar el resto de mi vida con Jake, de que sea el padre de mis hijos, pero siento que no soy lo suficientemente buena para él.

—Pero ¿qué dices, Mel? No digas tonterías, eres una

105

chica estupenda, dulce, cariñosa, detallista. No os conozco mucho pero como todas las parejas tendréis vuestras cosas —le digo con cariño y sin fingir en absoluto.

—No, Flor, en serio. Él no me mira con los ojos que yo lo miro a él, de esto hace ya tiempo que me doy cuenta, me quiere mucho, es normal, son muchos años. Pero no me admira, no está orgulloso de mí y eso me pone triste. Yo quiero que mi marido me tenga como ejemplo a seguir, que me valore, que me acepte y... uf. —Mel rompe a llorar y la abrazo sin dudarlo.

—Mel, tranquila, son los nervios de antes de la boda. No seas tonta, estoy segura de que tienes mil cosas que Jake ama de ti. Tranquila, ¿vale? ¿Quieres que salgamos fuera?

Roy me mira desde la barra con cara de no entender nada y le hago un leve gesto de «No te preocupes».

—No, gracias. ¡Uf! ¡Necesitaba soltarlo! Gracias por escucharme. Todo lo que has preparado es tan bonito, tan de cuento... Solo tengo miedo.

—Vamos, Mel, vete a buscar a Jake y salid a cenar y hablar. Cuéntale cómo te sientes, es normal. Ya verás cómo se te pasa pronto.

Empezamos a recoger nuestras cosas para irnos.

—Flor, qué suerte haberte encontrado —me dice con un brillo en los ojos que me hace sentir terriblemente mal, mal por ella, mal por Roy y mal por mí.

—Descansa un poco. ¿Qué te parece si mañana por la mañana hacemos las fotos del reportaje preboda? Así pasado mañana me da tiempo a procesarlas y enseñároslas.

—¡Qué gran idea! De acuerdo.

Roy se acerca al ver que nos disponemos a despedirnos y le sonríe con cara de circunstancias, está claro que no entiende nada de lo que está pasando y yo siento que estoy tan perdida como Mel, qué irónico.

Salimos de la cafetería, Mel se va a su casa mientras que Roy y yo decidimos dar un pequeño paseo. Tras un rato recorriendo el pueblo Roy me dice que tiene que ir al hostal porque ha de enviar unos emails. En otra ocasión me hubiera molestado pero la verdad es que estando como estoy casi lo prefiero. Estamos llegando a la casa cuando suena mi teléfono, es la abuela.

—Hola, muñequita, ¿Cómo van tus días por el paraíso?

—Ay, abuela... —Me alejo un poco de Roy para tener intimidad—. Muy bien, muchas emociones encontradas, es todo muy revelador.

—¿Revelador?

—Espera, que estamos llegando al hostal, dame un minuto. —Le pido a Roy que se adelante, que yo subiré enseguida—. Ya estoy aquí de nuevo.

—Cuéntame, ¿qué ocurre?

—No lo sé, estar aquí, conocer a esta gente me ha hecho replantearme muchas cosas de mi vida.

—Pero eso es bueno, cielo.

—No tanto si me hace hasta replantearme lo mío con Roy. —Miro a mi alrededor para comprobar que no haya nadie.

—¡Bah! Roy es un arrogante que no cae bien a nadie. Lo siento mucho, hija, pero nunca me ha gustado ese tipo.

Entre risas le pido que no me hable de eso, una vez más.

—No te rías, que sabes que es cierto.

—El hecho es que he conocido a alguien.

—¡Ajá! ¡El encanto sureño! ¡Lo sabía! Te dije que tenía un secreto que contarte, déjame que te explique algo. Ya sabes que mi madre y yo pasamos varios años viviendo en Estados Unidos, en el sur. Por eso conozco tanto la zona y a su gente. Y al igual que tú, angelito, caí rendida a los pies de un apuesto americano. Era increíblemente guapo, inteligente y sensible. Pasé a su lado uno de los mejores

107

años de mi vida, éramos unos críos, no sabíamos lo que era el amor, pero nos amamos sin medida.

—¿En serio, abuela? Pero… ¿qué pasó?

—Pasó lo que pasa en las peores novelas y películas dramáticas…

—¿Murió?

—¡¡No!! Nos separaron…

—Vaya…

—Sí, cosas que pasan, imagino que no era para mí. Aunque eso no fue lo más triste.

—¿Qué fue?

—Es largo, pequeña, un día con calma te lo cuento bien. Solo quiero decirte con todo esto, que el corazón es indomable, mi camino se separó de ese hombre y gracias a ello os tuve a tu madre y a ti y es algo que jamás cambiaría. Mi historia con él me enseñó hasta dónde se puede llegar a volar y luego a caer. Fue necesario para luego tener una relación sana y duradera. Cuando conocí a tu abuelo ya sabía lo que era el amor y equivocarme, por eso nuestra vida fue tan buena. Ambos supimos hacerlo bien. A diferencia de lo que pasó con el americano.

—¿Cómo se llamaba?

—¡Ay, no seas chismosa!

—¿No te gustaría saber de él?

—Sí, lo cierto es que sí. Aunque hay otra persona de la que me gustaría saber más. A él ya hace años que lo olvidé y comprendí que no era mi verdadero amor, solamente fue el primero. El verdadero y puro fue tu abuelo, que en paz descanse.

—¿Hubo otro, abuela? ¿A qué otra persona preferirías ver?

—Ay, hija, qué mal pensada. ¿Puedes esperar a que nos veamos para que te lo cuente tranquilamente, sentadas en el sofá con algo calentito entre las manos?

—Está bien, ya te lo iré contando, ¿vale?

—Escúchame, el corazón nunca se equivoca. Diga lo que diga tu cabeza. Haz caso al que manda. Tu cabeza siempre intentará que hagas lo que cree correcto pero jamás decidirá por lo que te hace sentir plena, por lo que te eleva, por lo que te hace sentir feliz.

—Uf, esto es precisamente lo que no necesito, abuela, el chico en cuestión es el novio.

—¿Qué novio, hija?

—El novio de la boda que he de fotografiar.

—¡Ay Señor, Dios mío! Esto empeora las cosas. Cuéntame, ¿él siente lo mismo?

—Mejor lo hablamos cuando nos veamos, estoy pensando en viajar a España en cuanto llegue a Nueva York dentro de un par de días. Necesito veros a ti y a mamá.

—De acuerdo, preciosa, cuídate y no hagas nada de lo que puedas arrepentirte.

—Vale, te quiero muchísimo.

—Y yo, pequeña, y yo. —La abuela se despide con voz preocupada y a la vez risueña.

Al colgar oigo un ruido detrás de mí y aunque se mueve rápido no le da tiempo a disimular. Es Joan y creo que ha oído toda la conversación.

—Oh, lo siento, Flor, yo no quería... De veras, lo siento. Pasaba por aquí, te oí y...

Me muero de vergüenza y deseo que me trague la tierra.

—Lo siento, no esperaba que hubiera nadie, yo...

—No te disculpes —Me acaricia la cara y me mira con ternura, como me miraría mi abuela ahora mismo si estuviera aquí—. Lo que acabo de oír..., te juro que seré una tumba.

—Solo estoy confundida, tantas emociones.

—No estas confundida, Flor, no te engañes, he visto

cómo os miráis tú y mi hijo. ¿Te crees que soy tonta? Cariño, veo cómo te mira y debo admitir que es precioso. Lo siento por Mel, porque si se casa con ella cometerá un tremendo error, pero sé que lo hará. Jake no va a hacerle daño a Mel por más que crea que se ha enamorado de ti. Y yo casi hubiera preferido no oír nada. ¿Puedo pedirte un favor?

—Sí, claro…

—Sálvale la vida.

—¿Cómo?

—A mí me la salvó mi marido, nuestra historia sí que fue una locura. —Se le entristece la mirada—. Nos enamoramos de un modo algo extraño.

—Vaya…

—Han pasado muchos años, aunque lo recuerdo como si fuera ayer. Por eso te digo que en la vida ya hay suficientes cosas mediocres, el amor no debería ser una de ellas.

—Pero ¿qué pasó?

—Es una larga historia y tengo que preparar la cena, ¿te importa si te la cuento en otro momento?

—Oh, no, para nada, voy a la habitación. Ha venido Roy, mi novio.

—¿De veras? Menuda sorpresa, ¿no?

—Pues sí.

Nos sonreímos y sé que me guarda el secreto.

—Estate tranquila, respira y no pienses demasiado, no suele ayudar mucho en situaciones así. Os veo en la cena.

Joan, con su calma, consigue quitarle importancia al asunto. Pero sé que todo esto es una locura.

Subo las escaleras deseando que no haya nadie en mi dormitorio, que Roy no esté, necesito tiempo para pensar, pero ahí está Roy. Trabajando como siempre. Me dirijo al baño a tomar una ducha. No. Mejor un buen baño. Empiezo a llenar la bañera y el ruido del agua se mezcla con el silencio de este lugar y por un momento me olvido de todo. Me desnudo despacio y meto los pies poco a poco en el agua. El calor se apodera de mi cuerpo. Me deslizo para relajarme y dejar la mente en blanco.

Media hora después Roy entra en el baño en silencio. Se acerca y se arrodilla al lado de la bañera. Me acaricia con un dedo mi hombro húmedo y me susurra:

—Te he echado de menos.

Le dedico una mirada fugaz.

Empieza a trazar círculos sobre mi piel suavemente y a deslizar su mano hacia mi pecho. La yema de sus dedos y su ternura me provocan un escalofrío.

—Estás muy sexi —me susurra mientras se acerca para darme un beso suave y húmedo en el lóbulo de la oreja.

Su mano sigue deslizándose por mi estómago hasta llegar a mi ingle, mientras sigue recorriendo mi cuello y mi nuca con besos tiernos.

Aunque no me apetece para nada su contacto ahora mismo, el agua caliente, la luz tenue y la necesidad de ser amada me vencen. Cierro los ojos e inevitablemente empiezo a imaginar a Jake. De repente sus manos ya no son sus manos sino las de Jake, su lengua deja de ser la suya para ser la de ese hombre que me está volviendo loca.

Roy acaricia con más fuerza y firmeza mis muslos mientras se acerca a mi sexo. Con la lengua recorre mi cuerpo, cada vez menos tierno, cada vez más fuerte. Se detiene a jugar con mis pechos a la vez que sus dedos se hunden en mí haciendo que me desgarre de placer como nunca antes. Suelto un gemido ahogado mientras intento taparme la boca y sé que si abro los ojos y descubro que es Roy en vez de quien desearía realmente que fuera se perderá toda la magia.

Roy no para de acariciarme y sé que si no se detiene

111

llegaré al orgasmo en cuestión de segundos. Así que me dejo llevar por mi novio y le dejo hacerme el amor, mientras yo se lo hago a Jake.

Me saca de la bañera con urgencia y aún mojada me echa en la cama, se pone encima de mí, se desabrocha el cinturón y con los ojos cerrados siento cómo me penetra con fuerza, cómo me sujeta del pelo y con todas sus fuerzas empieza a moverse como si intentara apoderarse de mí. Hacía tiempo que no hacíamos el amor así. Lo cierto es que jamás había sentido lo que estoy sintiendo, pero sé con toda certeza que no es por Roy. Es por el deseo frustrado que despierta Jake en mí y por imaginármelo a él en cada embestida. En cada gemido. En todo momento.

Roy se separa de mí para poder mirarme. Hemos acabado al mismo tiempo, yo por segunda vez. Me mira con cara pícara.

—Hey, Dios mío. Sí que me echabas de menos, ¿no? ¡Guau! Hacía tiempo que no lo hacíamos así.

Me invade un vacío enorme y sé que no seré suya nunca más. Siento que le he sido infiel aunque solo sea en pensamiento. Siento que me acaba de hacer el amor Jake, aunque haya sido Roy, y siento que tengo unas ganas de llorar que no me aguanto. Las disimulo. Roy me da un beso en la frente y me dice que no tiene ganas de bajar a cenar, que se dará una ducha y se echará. La verdad es que lo agradezco porque no tengo ánimo para nada.

Me quedo sola en la cama y con la mirada perdida en el techo suspiro, deseo y me duermo. Mañana será otro día.

14

*S*uena el despertador con fuerza y Roy lo apaga de golpe. Lo miro desde mi lado de la cama y deseo tener diez horas más para dormir. Recuerdo que he quedado con Mel para la sesión de fotos preboda y me obligo a levantarme y a preparar la cámara y las tarjetas de memoria.

—Buenos días, princesa —pronuncia con voz ronca y plácida.

—Buenos días —contesto con sequedad y pereza.

—¿Qué planes tenemos hoy?

—Lo siento, pero hoy he quedado con la pareja para hacer el reportaje, no creo que pueda hacerte mucho caso. Cuando termine, te paso a buscar y damos una vuelta y cenamos —le propongo con las mismas ganas que tengo de hacer el reportaje. Es decir, cero.

—Te acompaño, cariño, siempre he querido ver cómo trabajas.

—Oh, no creo que sea buena idea. —Su propuesta me sorprende.

—¿Cómo que no? He venido hasta aquí para estar contigo, no vas a dejarme aquí solo todo el día en esta casa que parece un zoo.

—Oye, esta casa es preciosa. —Lo miro con mala cara—. De acuerdo, se lo comentaré a Mel a ver qué le parece.

Le mando un mensaje a Mel y en menos de un minuto recibo su respuesta. Le parece una idea estupenda pasar el día los cuatro juntos, así que no puedo poner más excusas, nos vestimos y bajamos a desayunar.

—Buenos días, parejita. Ayer no os vimos para la cena. Bienvenido, Roy —nos saluda Joan tan risueña como siempre. Me guiña el ojo y continúa—: Imagino que preferisteis quedaros en la habitación.

—Buenos días, señora. Gracias. Anoche estábamos muy cansados —contesta Roy con retintín.

—Bien, pues a desayunar, que están a punto de llegar. Encantada de conocerte, Roy. —Joan saluda a Roy con un abrazo.

Tras devorar las delicias del desayuno, toda clase de panes hechos por Joan, con mermelada, aguacate, una ensalada de frutas riquísima y superdulce y trozos de tarta de tres sabores diferentes, con zumos recién exprimidos y una selección de tés envidiable, aparecen Jake y Mel en el salón, vestidos algo diferentes a lo que estoy acostumbrada. Mel luce un precioso vestido largo de color coral y Jake unos pantalones camel con una camisa blanca tipo lino algo desabrochada, el pelo como de costumbre y la barba algo mejor recortada, debo admitir que están los dos terriblemente guapos.

Mel se lanza a darnos dos besos y a enseñarnos su vestido nuevo.

—¡Guau! Estas preciosa, Mel —admito sinceramente.

—¡Gracias! —contesta emocionada.

—Ya puede estarlo, ya, ese vestido vale un ojo de la

cara —suelta Jake sonriendo con su irónico pero amable tono de voz mientras roba un panecillo a su madre y se lo lleva a la boca—. Roy, disculpa por la bienvenida de ayer, no esperábamos a nadie y me pilló por sorpresa tu llegada, soy el novio de Mel. —Le estrecha la mano como si nuestra conversación de ayer hubiera sido imaginación mía, como si nunca me hubiera confesado que significo algo para él, y acto seguido se dirige hacia mí—. Lo siento por lo de ayer —me susurra al oído mientras finge darme dos besos.

Nadie se da cuenta, pero mi cara cambia al momento, no puedo evitar sentirme decepcionada. «¿Por qué habrá cambiado de opinión?» Imagino que será lo mejor, soy la fotógrafa y organizadora de su boda, ¡por Dios!

—¿Ya habéis acabado de desayunar? ¿Nos ponemos en marcha? —pregunta Mel ilusionada—. Hemos pensado que sería bonito ir al aeropuerto, Jake tiene una avioneta antigua que aún pilota, podríamos hacernos unas fotos en ella y luego por el campo.

—¿De verdad pilotas una avioneta? —pregunta Roy mirando a Jake con cara de «No puede ser»—. ¡Tú y yo vamos a ser amigos, tío! —dice mientras le da una palmadita en la espalda, y sonríen los dos.

Miro a Roy asombrada, ¿cómo puede ser tan hipócrita?

Durante el viaje en la camioneta de Jake hasta el aeropuerto, Roy no para de hablar con él sobre aviones, mecánica y «cosas de hombres». El trayecto hasta el lugar es una preciosidad una vez más. Nos adentramos en las Smoky Mountains. Hoy están cubiertas de la famosa niebla que las caracteriza. Hasta hoy no había podido verlas en su estado natural. Los rayos de luz se cuelan haciendo formas preciosas con el humo azul de las montañas. Los valles lucen rosáceos ahora que están repletos de flores por la primavera. Me asombra la poca gente que vive por

115

estas tierras, lo insólitas y vírgenes que son. A lo lejos veo una avioneta e intuyo que nos estamos acercando.

—Ya hemos llegado. Bienvenidos a uno de mis escondites preferidos —suelta Jake con una sonrisa infantil.

El pequeño aeropuerto se encuentra rodeado de árboles y más que un aeropuerto parece un puerto secreto donde planear huidas a otros mundos. Es un bonito marco para las fotos. A pesar de la niebla, parece que empieza a despejarse el día.

—Desde luego qué escondite, si no está en el Santuario, está aquí. ¡Es horrible! —Mel bromea mirando con cara de enfado a Jake.

—No te quejes, eres tú, que nunca quieres volar.

—Pues a mí me encantaría —suelto sin pensarlo.

—Pero ¿qué dices? Si odias las alturas y los aviones. —Roy me mira con cara de no entender nada.

Tiene toda la razón, no sé por qué he dicho eso. «Flor, contrólate. No te delates. Disimula. Ya.»

—Pero esto es una avioneta, es diferente, me gustaría probarlo —argumento en mi defensa. Alucinando aún por haberlo dicho.

—Puedo darte una vuelta si quieres, cuando acabemos la sesión. Si me lo permite tu marido, claro —dice Jake mirando a Roy.

—Por supuesto, me muero por ver la cara que pones ahí arriba. Tan chulita que eres.

—No soy chulita, es solo que me gustaría ver las montañas desde lo alto.

—Es precioso, la verdad. Luego te lo enseño.

Me pongo algo nerviosa al imaginar la situación y empiezo a abrir la mochila para preparar la cámara.

—Genial, empecemos con las fotos pues. Veamos, de momento daos las manos y pasead por aquí, olvidaos de que estamos nosotros, solo pasead, hablad entre vosotros, reíd.

Preparo la cámara mientras Roy se retira un poco para no molestar y se sienta al lado de una avioneta que parece de la Segunda Guerra Mundial. Yo me olvido de todos mis sentimientos y me centro en mi trabajo.

—Genial, chicos, venid hacia mí, pero sin mirarme.

Pasean entre risas, susurrándose cosas al oído y por primera vez me doy cuenta de que realmente hay química entre ellos, no entiendo qué ha pasado estos días. Pero esa relación que creí acabada ahora veo que no es así. Mel no deja de coquetear con su futuro marido mientras él le acaricia con suavidad el pelo.

—Muy bien, chicos, seguid así.

Jake apoya la espalda contra su avioneta y Mel apoya la suya en el pecho de él, él la abraza con los ojos cerrados mientras ella suspira y por un momento siento que es la foto más dolorosa que he hecho jamás. Algo se me desgarra por dentro cada vez que los veo. No logro entender nada. Trato de no pensar y seguir con la sesión.

Tras una hora de reportaje les digo que ya podemos cambiar de sitio e ir al campo, pero Jake me recuerda el paseo en avioneta. Lo cierto es que ya no me apetece en absoluto, pero no quiero quedar mal y ahora es Roy el que no para de animarme.

117

—Solo cabemos dos personas ahí arriba. ¿Os importa esperar veinte minutos aquí? —se dirige a Mel y Roy, ambos niegan con la cabeza y Jake empieza a preparar la avioneta.

—Será mejor que te pongas este casco, cualquier cosa que quieras decirme ahí arriba, puedes hacerlo a través de este micro. Yo lo oiré por mi casco.

—Genial. ¿Esto es seguro?

—¿Hay algo seguro en esta vida, Flor? —Me dedica

una de sus miradas y capto a la primera la doble intención de la frase.

—No, me temo que no. —Dejo que me ajuste el casco y luego me ayuda a subir a la avioneta.

—Ten mucho cuidado, ¿eh, tío?, mi futura mujer está a bordo —bromea Roy y me guiña un ojo—. Vamos a ir a tomar un café. Si te apetece, Mel.

—Claro —dice ella sin mucho entusiasmo.

Me despido con la mano mientras él se sube y arranca el motor. Sin darme cuenta la avioneta empieza a moverse y nos preparamos para el despegue. ¿En qué maldito momento se me ha ocurrido decir que quería volar? ¡Odio las alturas!

—¿Estás preparada, Flor?

—No. ¡Para nada!

Jake se ríe a carcajadas y empuja la palanca acelerando la avioneta para el despegue.

—¡Oh, Dios mío!, esto va muy rápido, mierda, creo que me quiero bajar.

—Demasiado tarde, en tres, dos, uno, estaremos en las nubes —dice Jake.

Efectivamente en menos de un minuto volamos superalto y debo admitir que las vistas son increíbles. Las montañas desde aquí arriba parecen otra cosa, es como si la realidad quedara en otro plano.

Me siento a gusto. A solas. Con él.

—Oye, Jake, lo de ayer…

Me interrumpe:

—Olvídalo, Flor, no sé qué mosca me picó.

—No, no me da la gana olvidarlo.

Jake se vuelve para mirarme extrañado.

—Pensé que te había molestado, encima la llegada de tu marido…

—No es mi marido.

—Bueno, lo que sea. Me di cuenta de que solo estaba complicando las cosas y lo egoísta que estaba siendo. Aparte de ridículo.

—Egoísta, ¿por qué?

—Mira eso. —Me señala entre las montañas un prado extenso intentando cambiar de tema—. ¿Ves esa manada de caballos, cómo corren? Qué bonito, por Dios.

—Sí, es precioso…

—Cada vez que vuelo, me olvido de todo. Me gusta volar solo y soñar con un mundo mejor, desde aquí arriba solo se respira paz. Es como si todos los problemas del mundo se quedaran a nuestros pies. ¿No crees?

—Sí, la verdad es que sí…

—Agárrate fuerte.

—¿Por qué? ¿Qué vas a hacer?

Antes de que me dé tiempo de acabar la frase, la avioneta se tambalea y hace un giro brusco poniéndonos boca abajo; no puedo evitar soltar un chillido agudo y fuerte mientras Jake se ríe a carcajadas una vez más. Le pido chillando que pare, que baje, que no quiero más, y él no deja de hacer que la avioneta haga acrobacias cada vez más cerca del suelo y realmente me aterrorizo, pues como Roy bien había dicho, odio volar.

—¡Para, Jake, por favor! ¡¡Para!!

Las lágrimas empiezan a invadir mis ojos, estoy realmente asustada y empiezo a marearme. Jake comienza a descender, tengo los ojos cerrados con tanta fuerza que parece que me va a estallar la cabeza. Puedo oír claramente el ruido del aterrizaje, espero que esto acabe pronto.

—¡¡¡Para!!! ¡Maldita sea!

—Tranquila. Perdona, estoy aterrizando.

Le odio. Le odio. Le odio.

—¡Para, para ya! —chillo totalmente fuera de mí, presa del pánico.

119

—Ya casi estamos, espera, relájate, no sabía que ibas a ponerte así, pensé que te divertiría.

—Cállate y déjame ya. Para este maldito trasto, ¡Quiero bajar!

Aún con los ojos cerrados y asustada, me doy cuenta de que estamos en el suelo. Abro los ojos sin ser capaz de apreciar nada y salgo disparada. Casi corriendo. Tiro el casco con todas mis fuerzas y me alejo de la estúpida avioneta. No tengo ni idea de dónde estamos. Pero no es el aeropuerto. Estoy mareada. Qué asco.

—Hey, hey, Flor, en serio, perdona. —Jake me sigue.

Hemos aterrizado en un campo con un lago precioso rodeado de árboles. Los caballos que antes corrían ahora están pastando y bebiendo agua. Sigo andando aún conmocionada mientras Jake se abalanza y me tira del brazo para que me dé la vuelta.

—Oye, Flor, lo siento. No ha sido para tanto, para, por favor. Me estás asustando.

—¡Déjame! —Hago un movimiento brusco con el brazo mientras intento que me suelte y sigo andando.

Me comporto como una niña. Asustada. Tantas emociones acumuladas. Celos. Odio a este hombre por poner mi mundo patas arriba.

—¡Flor! —pronuncia con fuerza mientras me agarra nuevamente del brazo, esta vez con la fuerza suficiente para hacer que me vuelva de golpe, quedándome cara a cara con él.

Toda mi furia se convierte en deseo y siento cómo se le agita la respiración.

Una extraña inquietud empieza a invadirme desde el estómago hasta el pecho. Apenas tengo tiempo de tomar aire cuando me agarra la cabeza con fuerza y me acerca a él dejándome a escasos centímetros de su boca. Estoy totalmente en *shock*, suspiro sin poder evitarlo y, como si mi respiración dictara sus movimientos, sus labios se acercan a los míos y me besa con la misma furia que sentía yo hace apenas dos segundos.

Me fundo en ese beso desesperado, lleno de emociones retenidas, miedos, pasión, deseo y mucho amor. Un beso largo. No quiero que termine. Cierro los ojos y lo agarro con más fuerza, intensificando el beso. Él me levanta de un solo impulso sentándome en sus caderas. Le rodeo la cintura con mis piernas y seguimos besándonos como si el resto del mundo hubiera sido engullido. Tras cinco minutos intensos, nos separamos y, aún frente con frente, me susurra:

—No tienes ni idea de cuánto tiempo hace que esperaba esto, Flor.

—¿Cuánto? ¿Cuatro días, dos semanas? —bromeo flojito para quitar importancia a la trascendencia de su confesión.

—No —contesta serio—. ¡Vidas! —me susurra con intensidad antes de agarrarme de nuevo de la nuca. Y vuelve a besarme, esta vez más despacio, más tierno.

La simple idea de que sienta que lleva vidas esperándome me eriza toda la piel y hace que no quiera separarme de él, nos abrazamos con mucha fuerza y, mientras siento sus manos fuertes en mi espalda, le susurro al oído:

—Me has asustado ahí arriba, eres un idiota.

—Lo siento, de veras. Solo quería verte reír. —Separa su cabeza de la mía y me besa la mejilla con suavidad, vuelve a abrazarme con firmeza y me deja en el suelo suavemente. Me mira, me coge la mano y me la besa.

—Dios mío… —suspira mirándome aún con mi mano en las suyas—. Y ahora ¿qué?

—Uf, no sé, pero te necesitaba tanto… —confieso desahogándome.

—No sé qué decir. Desde que te vi, desde que te cogí en

121

ese paso de cebra no he dejado de pensar ni un solo día en ti, en tu olor, tu pelo, tus ojos, tu sonrisa…, tu… Todo. Cuando te vi en el aeropuerto sentí que era una señal, un mensaje…, yo qué sé, estoy hecho un lío…

—Lo sé, me pasa exactamente lo mismo. Estoy perdida, muy perdida, jamás en la vida me había pasado, te veo y todo mi mundo se tambalea.

—Me encantas. Por dentro, por fuera, y ahora que te he besado… —dice mientras me agarra fuerte la mano—. Te siento mía, no sé explicártelo. No te asustes, por favor.

—No hace falta que me expliques nada, te entiendo.

Nos dirigimos hacia la avioneta cogidos de la mano, ajenos al mundo, como si no nos estuvieran esperando nuestras parejas. Me ayuda a subir y luego sube a mi lado. Me mira fijamente antes de prepararse para despegar, me sonríe y esta vez soy yo la que se acerca a sus labios y le besa con pasión. Jake me corresponde, me agarra por la cintura empujándome hacia él y, sin darme cuenta, me muevo hasta acabar sentada en su regazo, con las piernas rodeando su cintura.

La verdad es que si viera la imagen desde fuera, la avioneta, los campos, nadie a kilómetros alrededor, los caballos, el sol, las flores, el olor a hierba y tierra húmeda, yo sentada encima de él en su avioneta, me parecería una escena digna de película, pero vivirla es una completa locura.

Jake me agarra con más fuerza de la cintura mientras con mis manos le acaricio la cara. Nos besamos y sus manos se deslizan hacia mis piernas para apretarme contra él. No puedo pensar, mi pelvis presiona su cuerpo y puedo sentir su erección, me excita sentirle debajo de mí y deslizo las manos hasta su abdomen. Jake me quita la camiseta con pasión dejándome con la ropa interior, nos miramos por un segundo, nos detenemos y sabemos que ya no hay marcha atrás. Le saco su camisa con la misma fuerza y urgencia que él lo ha hecho y me asombro una vez más del precioso cuerpo que tiene, me sorprende el tatuaje de su pecho, con una palabra que no soy capaz de descifrar. Sus manos recorren mis piernas hasta subir por mi espalda y me desabrocha el sujetador.

Me lo quita con delicadeza y el mero roce del sujetador contra mis pezones hace que se me erice la piel a la espera del contacto de sus manos, su lengua, su cuerpo... Desliza su boca por mi cuello bajando muy despacio, apasionado pero tierno, y cuando se acerca a mis pechos siento un huracán que desemboca en mi estómago y acaba entre mis piernas. Desliza su lengua hasta mi pecho y empieza a acariciar uno de mis pezones con suavidad mientras con la otra mano empuja mis muslos contra su pelvis ayudándome a que mi movimiento sea cada vez más rítmico y más seguido, frotándome con él. Voy a perder el control si sigo moviéndome así. Cierro los ojos y me abandono al placer, siento que el mundo se detiene y su lengua empieza a bajar por mis costillas, mi ombligo, Jake recorre a besos la cintura de mis pantalones, como queriendo seguir bajando, con mis manos aprieto su espalda deseando que me haga suya, entregarme por completo a él, regalarle mi cuerpo, mi piel y hasta mi alma. Jamás en la vida he deseado a nadie como le deseo a él. Sus dedos desabrochan mi pantalón y, entre besos hambrientos, su mano se desliza muy lentamente por mis pantalones, nunca jamás nadie me ha tocado con tanta delicadeza. Siento ternura en estado puro, siento deseo, ganas de que se hunda en mí, de tenerlo dentro de mi cuerpo, me hierve la sangre. Incapaz de pensar en nada ni en nadie más. Mente en blanco. *Tabula rasa.* Me da tanto placer que podría llegar al orgasmo en cuestión de segundos. Me mira a los ojos con esa mirada tan suya y me susurra:

—Me vuelves loco, Flor…

—Te quiero.

—Eres, uf…, como si fueras para mí. Como si conociera cada parte de tu cuerpo.

El teléfono de Jake empieza a sonar golpeándonos con la realidad. Jake me mira y suspira:

—Mierda… —Para de golpe, me besa la mejilla con suavidad mientras ambos cerramos los ojos y suspiramos.

—Lo siento, Jake, yo…

—Tú nada, Flor, tú eres perfecta, eres… Te deseo, te quiero, te parecerá una locura pero te quiero, te quiero desde que te toqué por primera vez.

El teléfono deja de sonar, Jake me abraza con fuerza.

—¿Qué vamos a hacer? Esto está fatal. —En cuestión de segundos toda la pasión se desvanece y empiezo a sentirme terriblemente mal.

—Tranquila, ha sido culpa mía, se me ha ido la olla. Jamás me lo perdonaré.

—No, es culpa mía. Claro que te lo perdonarás. Mel no va a enterarse, nadie tiene por qué enterarse.

—No me refiero a Mel, Flor, sino a ti. Jamás me perdonaré haberte besado estando con otra. Perdóname. No te mereces esto.

Me besa la frente y me deja sin habla, me hace sentir como si yo importara más que su futura mujer y siento que no lo aguanto. Se me escapa una lágrima.

—Jake, esto es una locura, será mejor que volvamos.

—Sí, será lo mejor. ¿Estás bien, seguro? No pretendía tocarte, yo…, lo siento, no te he respetado.

—No digas tonterías, lo deseaba tanto o más que tú —le interrumpo dándole un beso suave en los labios.

Nos abrazamos sin pronunciar ni una sola palabra más y nos arreglamos para volver al aeropuerto.

Esta vez no siento el vacío que he sentido otras veces al

separarme de él, es como si ahora supiera que una parte de él es mía. Es extraño y cruel pero no me siento mal por lo que acaba de ocurrir. Amo a este hombre y negármelo sería serme infiel a mí misma. Está fatal lo que acaba de ocurrir y cuando vea a Roy y a Mel ahí abajo, se me caerá el mundo, pero ahora mismo quiero huir, quiero desaparecer. Hacerle el amor.

15

*D*urante el vuelo de vuelta siento que la paz me invade, y es entonces cuando me doy cuenta de que nunca he conocido a nadie como él, tan puro, tan especial. El miedo a volar ha quedado enterrado por el miedo terrible de no volver a sentir en la vida lo que siento ahora por él.

Jake se muerde el labio en una mueca de impotencia y pena. Sé lo que siente, no necesito que diga nada. Nos aproximamos al aeropuerto y el corazón se me acelera.

—Estamos llegando. ¿Estás preparada?

—No, en absoluto.

—Bueno, ponte el cinturón y respira hondo, yo me encargo. ¿Confías en mí?

Asiento con la cabeza y tomo aire.

Mientras se dispone a aterrizar, desearía que no lo hiciera, me gustaría seguir volando y pernos, no quiero enfrentarme a la realidad, pero el fuerte impacto de las ruedas contra el suelo golpea mis pensamientos y puedo ver cómo Roy se levanta del bordillo donde está sentado y se acerca rápidamente a nosotros. Mel lo sigue, ambos con cara de preocupación y un poco molestos.

—Pero ¿qué ha pasado? Estábamos preocupados, tardabais mucho y no cogíais el teléfono.

Aún no hemos bajado del avión y las palabras de Roy me atraviesan el alma, estaba preocupado. Dios mío, ¿en qué estaba pensando?

—Hola, chicos. —Jake saluda a Mel con un beso en la frente mientras Roy me abraza. Jake se dirige a Roy—: Lo siento mucho, de veras, he querido enseñarle unos trucos aéreos a Flor y se ha mareado de tal manera que he tenido que aterrizar enseguida. Estaba muy pálida y aterrorizada.

—¿Has hecho esos ridículos trucos otra vez, Jake, y con Flor en el avión? Pero ¿qué esperabas haciendo eso? ¡Es horrible! —Mirándome con cara de preocupación, Mel se acerca a mí y me da la mano.

—Flor, no te preocupes, sé lo que sientes. Yo casi lo mato el día que vi esos bucles desde tierra, no puedo imaginarme estar a su lado ahí arriba mientras hace esas tonterías.

—Sí, bueno, no… No son tonterías, es solo que no me lo esperaba y me he empezado a sentir mal.

Roy me interrumpe agarrándome más fuerte y le dedica a Jake un mirada para nada amistosa.

—Vámonos, se acabó la sesión por hoy, tienes que descansar. —Me da un beso en los labios y Jake me dedica una sonrisa forzada y una mirada que dice a gritos: «No te vayas con él».

—Sí, chicos, prefiero dejarlo aquí, tengo material suficiente. Os llamo más tarde. Voy a tomarme el día de hoy para procesar las fotos y descansar.

—Claro, Flor, espero tu llamada. —Mel me abraza y me siento la persona más despreciable de la faz de la Tierra.

127

Subimos a la ranchera de Jake y apenas hablamos en todo el trayecto. Roy está molesto conmigo por haber tenido la ocurrencia de subirme al maldito avión y con Jake por hacer esas acrobacias tan peligrosas conmigo dentro.

Lo último que deseo es tener que ponerme a trabajar, a mirar las fotos mientras revisito lo que acaba de suceder.

16

*A*l llegar a la casa decidimos dejar las cosas y salir a comer fuera del pueblo. Robert se ofrece a dejarnos su coche. 129
Me doy una ducha rápida mientras Roy contesta un par de
mails y salimos en busca de un buen restaurante. La verdad es que aunque la idea no me apetece en absoluto,
siento que me irá de fábula desconectar un poco de todo ·
aquello.

—¿Qué prefieres, cariño, carne o marisco? —me pregunta mientras recorremos en coche las calles de Pigeon
Forge.

Me doy cuenta de que aún no he abordado mi decisión
sobre la comida con él y sinceramente no me siento con
fuerzas. Pero sé que es ahora o nunca. Me mentalizo y...

—Eeehhh..., yo lo cierto es que... he decidido dejar de
comer carne.

La cara de Roy es un poema.

—Pero ¿qué estás diciendo? ¿Ya te han lavado el cerebro?

—¡Nadie me ha lavado el cerebro! Es solo que he visto

y aprendido cosas que me han empujado a tomar esta decisión.

—Pero ¿en serio? ¿No es ninguno de tus caprichos?

Su incredulidad me ofende y me siento más fuerte que nunca.

—Jamás en la vida he tenido nada tan claro, Roy. Me niego a ingerir agonía, me niego a comerme a otros seres vivos cuando tengo alternativas mucho más saludables y me niego a discutir sobre este tema.

—Menuda gilipollez, Flor.

—¿Cómo? ¿Cómo te atreves a hablarme así?

—Mira, lo siento mucho pero desde que has llegado estás muy rarita, no pareces la misma, vistes diferente, hablas diferente y ahora esto. ¿En serio? ¿Me puedes contar qué te han metido en la cabeza?

—¡Y dale! Que nadie me ha metido nada en la cabeza, simplemente fui a un matadero, vi la cruda realidad y...

Roy me interrumpe con cara de no entender nada. Para el coche en seco.

—¿Qué diablos es eso de que has ido a un matadero? ¿A qué?

—Bueno, no es tan raro como parece. Un día hablando sobre los animales, quise saber más, quería entender el porqué de ciertas cosas, y Jake...

—No me digas más; Jake te llevó a ese lugar. —Le cambia la cara y puedo intuir cómo empieza a enfadarse—. Pero este tío ¿quién se cree que es para hacer y deshacer lo que le da la gana contigo?

—Bueno, no fue así. Yo se lo pedí —intento explicarme en vano.

—¡Oh, sí, claro, defiéndele! ¡O sea que la que está como una cabra aquí eres tú!

—¡Basta ya, Roy! Se acabó la conversación. He tomado esta decisión y me niego a hablar más contigo sobre ella. Solo tienes una opción ahora. Respetarlo. Y deja de buscar culpables, es una opción en la que siempre había pensado y venir aquí, conocer a esta familia, me ha cambiado.

—No, si eso ya lo veo, ya, y tan cambiada que estás —me reprocha con frialdad.

—Pero es a mejor, Roy. ¿No lo ves?

Mi rabia se convierte en pena y él ni siquiera se da cuenta.

—Me siento renacida. En paz. Me siento bondadosa y que por primera vez en mi vida he hecho algo que realmente cambia algo, cambia mi mundo. He dejado de ver las cosas materiales como si fueran esenciales, he dejado de un lado la apariencia de lo que me rodea para centrarme en su esencia. He conectado con una parte de mí que desconocía. Me siento agradecida por ello y siento como si de repente todas las fuerzas de la naturaleza fluyeran por mi cuerpo. Para que me entiendas, me siento en armonía con la tierra y los seres vivos. Como si al dejar de provocar y consumir este dolor, estuviera en equilibrio con la vida, las energías...

La cara de Roy no puede estar más desencajada, jamás me había oído hablar así. Lo cierto es que de más joven yo ya estaba en esa onda, pero con los años me convertí en alguien más «realista y terrenal» y ahora, por primera vez en mucho tiempo he vuelto a ser yo misma y a fluir con mi verdadero yo.

—¡Déjame que adivine! ¿Todo esto te lo ha enseñado el Dalai Jake? —se burla mientras intenta aparcar el coche en un hueco que acaba de quedar libre enfrente de nosotros.

Suspiro profundamente, pues sé que jamás lo entenderá y desearía que Jake estuviera aquí ahora, que me escuchara y me ayudara a enorgullecerme de este cambio en

131

mi vida. Por primera vez entiendo la frustración de Jake con Mel, y a su vez la de Mel con Jake.

—No quiero discutir, espero que respetes mi decisión y punto.

—Mira, no sé qué va a significar este cambio de personalidad repentino, pero de verdad espero que se te pase esta tontería cuando volvamos a casa. Yo voy a sacar un vuelo para mañana, porque no me estoy sintiendo nada a gusto aquí, la verdad.

—¡No es una tontería! ¡Jake, por favor!

—¿Jake? ¿Ahora me llamas Jake?

—Joder, Roy, lo siento. Tanto nombrarlo vas a volverme loca.

—¡Él te está volviendo loca! Esto es de locos. Comamos algo y cojamos el vuelo a Nueva York cuanto antes.

—Yo aún no he terminado aquí.

—¿Me estás intentando decir que vas a quedarte?

—No, no es eso, solo que no me hables con autoridad como si tu decidieras por mí. Me parecería bien volver mañana si estás tan mal, pero antes tengo que cerrarlo todo bien.

En el fondo, aunque no quiero, creo que irme cuanto antes es lo mejor para ver la situación con perspectiva. Lo que ha pasado hoy lo cambia todo. Y desearía no tener que irme nunca.

—Genial, cierra todo lo que tengas que cerrar y nos vamos.

Durante el resto del día no tenemos ninguna otra conversación, me encierro en mis pensamientos y Roy en su enfado. Al llegar a la habitación me pongo a editar las fotos de esta mañana. Pienso en conectarme a mis redes sociales, pero sé que ahora cualquier mensaje o foto que pudiera subir o comentar estaría teñida con un filtro de tristeza. Decido no iniciar sesión mientras Roy compra los billetes sin dirigirme la palabra.

Solo le envío un mensaje a Mel para comunicarle que ya está todo listo y que me vuelvo a Nueva York a atender otras bodas. Le digo que todo ha ido genial, le agradezco la experiencia y le miento diciendo que deseo verla de blanco pronto.

Llamo a Syl, que sé que estará de los nervios. Descuelga al primer tono, como me temía.

—¡Hola, Flor! Aleluya —suelta sin muchas ganas de bromear.

—Lo sé, lo sé, he estado muy desconectada.

—¿Estás bien?

—Sí, sí lo estoy, algo cansada y confundida.

—¿Confundida con qué? ¿Con la sorpresa de Roy?

—¿Cómo sabes que Roy está aquí?

—¿Quién te crees que le encargó los vuelos y le pasó la dirección? —pregunta sarcásticamente Syl.

—Ya decía yo…

—¿Ocurre algo?

—Te lo cuento mejor cuando regrese.

—No me j…

—¡Syl! No te pago para que me sueltes tacos.

—No, y tampoco me pagas por ser tu amiga, así que no me fastidies y adelántame algo. ¿Tengo que preocuparme?

—¿Acaso puedes no preocuparte por algo?

—Está bien, jefa. Cuando vuelvas a ser miss simpatía, llámame y organizamos una reunión urgente.

—Sí sí… ¿Algo nuevo por el estudio?

—Jajaja. —Estalla en una risa burlona—. ¿Te has olvidado de quién eres? Tienes a más de diez novias histéricas esperando que te pongas en contacto con ellas. Pero tranquila, tu excelente asistenta Syl está aquí para calmarlas y hacerles creer que la señorita Flor está al día de todo.

—¡Gracias! ¡Eres la mejor!

133

—Sí... ¿Cuándo regresas?

—Mañana.

—Pensé que aún quedaban dos días.

—Quedaban, pero ya no. Mañana estoy ahí. Nos vemos en el estudio.

—Vale, disfruta. Y procura colgar algo en tus redes sociales, que las tienes abandonadas.

Justo cuando cuelgo vuelve a sonar el teléfono.

—¡Hola, abuela!

—Hola, cariño, ¿cómo estás? ¿Cómo va todo por ahí?

Un silencio es mi única respuesta.

—Hija, ¿qué ocurre? Tengo ganas de verte ya.

—Y yo a ti, y yo a ti. ¿Qué te parece si te regalo una semana en Nueva York conmigo y la pasamos juntas hablando y disfrutando de largos paseos?

—¿Largos paseos por esa jungla de asfalto? Preferiría pasear por Tennessee. —Se ríe y yo sonrío melancólica—. Me gustaría volver antes de morir.

—Abuela, no digas eso, por Dios.

—¿Que no diga qué? ¿Acaso crees que soy inmortal? —bromea.

—Hagamos una cosa, yo te pago el viaje, tu vente y una vez estés aquí decidimos qué hacer, ¿vale?

—¿De verdad, hija? Es mucho dinero.

—Es tu sueño, ¿no? Pues no hay dinero que valga, además me muero por verte y que me cuentes tantos secretos que de repente parece que tienes.

—¡Vale, genial! Dime algo cuando tengas los vuelos. Por mí me voy mañana mismo, voy a avisar a mis compañeras de natación.

Me contagia su entusiasmo y siento que la amo con locura y que no quiero que me falte nunca.

—Vale, abuelita, te quiero. Te digo algo en cuanto llegue a casa.

—Vale, yo también te quiero, dale un beso a Roy de mi parte

—Lo haré.

Colgamos a la vez y miro a Roy, trabajando con su portátil, y me dan ganas de pedirle perdón. Pero me tumbo a echar la siesta y me olvido de quién soy hasta la hora de la cena.

17

El ruido de la puerta principal me despierta. Roy sigue
trabajando en su ordenador, miro el reloj, ya son las ocho
y cuarto, deben de estar a punto de preparar la cena, me
apetece ayudar a Joan, ya que probablemente será la última vez. Solo de pensarlo me pongo triste. Me visto sin
ganas y con prisa, aviso a Roy de que voy a ayudar y antes de que tan siquiera responda ya he salido de la habitación. Bajo las escaleras de dos en dos y Robert me sorprende en el comedor y me saluda.

—Buenas noches —contesto con cariño al padre de
Jake—. ¿Está Joan en la cocina?

—Sí. Ahí está. Disculpa una curiosidad, Flor... ¿De
dónde eres tú?

—Oh, vivo en Nueva York, señor, en pleno Manhattan.

—No no, hija, me refiero a dónde naciste exactamente.

—Ah, en Barcelona, señor, en un pueblecito cerca de
Barcelona, en España.

—Um, vaya... —Su mirada pensativa clavada en mí
me hace preguntarme a qué viene tanto misterio.

—Nada nada, curiosidad… —dice quitando importancia al tema y me indica que vaya a la cocina.

—Buenas noches, ¿qué tal el día? —me saluda Joan.

—Bien, muy bien, gracias —miento mientras me mira con esa cara con la que solo miran las madres. O mejor dicho, las abuelas.

Porque Joan, aun siendo la madre de Jake, por edad podría ser mi abuela. Y ahora que lo pienso, son de la misma edad, ella y mi abuela, más o menos, quizá por ello me despierta tanta familiaridad.

—No me mientas, pequeña. Te veo. —Me apunta con la espátula de madera que tiene en la mano.

—No te miento, Joan, estoy bien, bien perdida. —No puedo más y necesito hablarlo con alguien.

—Lo sé, lo veo en tus ojos desde el primer día. No me digas que todo esto es por Jake.

Agacho la mirada y no necesito decir nada. Joan se acerca y me abraza. Siento que me inunda una inmensa paz y trato de no llorar.

—De joven pasé por algo similar, sé lo que es. Créeme. Estaba locamente enamorada del hombre de otra mujer. El problema, el gran problema, era que esa mujer era mi mejor amiga.

—¿Cómo? —La miro con cara de sorpresa.

—Lo que oyes, cariño, que sé lo que se siente. Era muy joven por aquel entonces, la amistad lo era todo y mi mejor amiga era parte de mi vida, de mi alma. Éramos inseparables, como si de una hermana se tratara. Ella era española como tú, estudiamos un tiempo en el mismo colegio. Desde el primer momento nos hicimos inseparables, hasta que ella conoció a Robert. Se enamoraron como dos críos, tanto él como ella, es increíble el modo en el que no me duele recordarlo. Porque la veía tan feliz. A mí siempre me había gustado Robert pero jamás se lo dije a nadie, ni

137

tan siquiera a ella. Nos lo contábamos todo, todo, y sin embargo jamás me atreví a contarle que él era el chico de mis sueños. Una parte de mi quería guardarlo en secreto por miedo a que él se enterase.

»El día que me contó que Robert le había pedido salir lloré como una niña pequeña, teníamos apenas quince años pero sentí que mi alma se quebraba en dos. Me sentí estúpida por no habérselo dicho, pero ya era incapaz, era tarde. Ella estaba enamorada y yo no podía arrebatarle eso. Él la quería a ella. Pasaron los meses y su relación se fortaleció, eran inseparables, lo éramos los tres. Jamás creí que su historia fuera a acabar y dejé de desearlo. Empecé a salir con otro chico y la idea de un futuro con Robert se desvaneció. Éramos felices. —Suspira y cierra los ojos por un momento—. Aún recuerdo el día que vino corriendo a mi casa llorando, llorando como pocas veces la vi. Me explicó que sus padres iban a regresar a España y que sentía que se moría. Que no quería, lloramos las dos durante horas, ya teníamos los diecinueve recién cumplidos y ella intentó por todos los medios quedarse aquí. Ella y Robert empezaron a discutir por tonterías, ella se marchitó como una flor, cada vez estaba más triste, y cuando llegó el día, Robert ni siquiera fue a despedirse de ella. Él le juró amor eterno y se negó a despedirse. Mi mundo se derrumbó cuando me di cuenta de que se iba de verdad.

»Las primeras semanas fueron muy duras. Por aquel entonces no teníamos las facilidades que tenéis ahora, no existía internet ni los ordenadores, y llamar por teléfono era una odisea. Todo se reducía a cartas y alguna que otra postal. Ella y Robert no volvieron a tener contacto, él la amaba, lo sé. Al poco tiempo yo me separé de mi novio pero seguí en contacto con Robert, ella a su manera nos había unido. Aunque yo había dejado de verlo como mi amor platónico. Al irse ella, Robert se apagó, se marchitó como ella lo había hecho en su momento. Intenté animarle, nos unimos aún más y, sin darnos cuenta, un día sucedió. Cuando me acompañó a casa después de tomar un café y dar un paseo me dijo que era muy bonita y que nunca se había atrevido a decírmelo hasta entonces. Me confesó que empezaba a sentir algo por mí y me besó la mano. Sí, es todo un galán. —Sonríe.

»Ella nunca nos escribió, él dejó de hacerlo pronto y yo lo intenté un par de veces más. Habían pasado ya ocho años, y Robert y yo nos enamoramos. No fue tan intenso como yo imaginaba, ni tan mágico, no fue de esas relaciones que te incendian el alma, pero fue mi paz, mi estabilidad, mi sentirme a salvo, mi hogar. Sentí que estar con él también me hacía estar cerca de ella, y un día me sobresalté pensando que quizá le había pasado algo, que quizá no escribió nunca más porque la posguerra había podido acabar con ella y su familia. Desde entonces vivo con un huequito en mi corazón y sé que Robert también. Él jamás me lo ha admitido, dejamos de nombrarla y desapareció sin más de nuestras vidas. Pero sé, en lo más profundo de mi corazón, que ella fue su gran amor. Sin duda, él siempre ha sido el mío y yo siempre tendré esa espinita de haberle robado eso a mi mejor amiga. La vida es tan dura y tan bonita a la vez.

»Recuerdo el día que le dije a Robert que necesitaba dejar de comer animales, ese día lloré como nunca. Llevábamos un año saliendo. Fue la primera vez que me dijo que me amaba, que mi delicadeza y sensibilidad le habían devuelto a la vida, que podía ver a través de mis ojos y que me seguiría y cuidaría hasta el final de mis días. Fue precioso. Diez años después tuvimos a Jake. Fue y es un niño tan amado… Volcamos todo nuestro corazón en hacer de él un ser especial, y creo que lo hemos conseguido. —Se detiene para coger aire y me coge la mano con fuerza.

139

»Flor, si te cuento todo esto es porque sé lo que sientes y, sin duda, sé lo que siente él. No soy nadie para decir nada, pues mi hijo va a casarse. Pero sé que no se casa con la mujer que le mueve el mundo, que lo hace levitar. Se casa con la niña que conoció cuando era niño, a la que quiere sin duda y está acostumbrado. Pero el amor, mi niña, no es eso. Ya hay demasiadas cosas complicadas en la vida como para que el amor sea una de ellas. Yo solo quiero que sea feliz, y cuando vi cómo te miraba el día que llegasteis, supe que algo ocurría. Jake me lo contó todo, lo del accidente, Nueva York… Hay personas que aparecen y se encienden las luces, todo cobra sentido, todas las cosas de tu pasado, las buenas, las malas, las veces que reíste, las que lloraste, las veces que alguien te hirió, las que heriste tú, los deseos, las frustraciones, los te quieros no correspondidos, las peleas, las dudas, las inseguridades, todo cobra sentido porque sabes que era necesario para llegar hasta él. —Suspira mientras me acaricia la mano y me mira como una madre—. No te voy a decir lo que debes hacer, porque quizá no debes hacer nada y debas dejar que el tiempo lo haga por sí mismo, pues él nunca se equivoca. Pero sí te diré una cosa. Nunca jamás te conformes con menos de lo que mereces. Que el miedo no te detenga y te congele el corazón.

Con los ojos llenos de lágrimas le doy un abrazo como pocas veces he dado a nadie y Joan se emociona conmigo. Sé que llora por su amiga, por Robert, por Jake, por el amor.

Veo a Roy aparecer en la cocina. Al vernos se me queda mirando con cara rara. Si todo esto está siendo difícil para mí, no quiero ni imaginar para él. Sé que me ve diferente y no entiende nada. Pero hasta que no lo entienda yo no voy a poder explicárselo.

—Buenas noches, Roy, ¿tienes hambre? —le pregunta Joan con su peculiar hospitalidad mientras recobra la compostura.

—Pues la verdad es que sí, señora, huele bien. ¿Qué ha preparado?

—Un poquito de ñoquis con pesto de calabaza. Estoy segura de que te gustarán.

—Huele genial, Joan —le digo mientras le dedico una sonrisa de agradecimiento y me seco las lágrimas.

—La última cena. Gracias por el detalle —le dice Roy con cierto sarcasmo y se sienta para empezar a comer.

—¡Oh! ¿Os vais mañana, ya? —Me mira sin entender por qué no le he dicho nada.

—Sí, es lo que quería decirte, pero… —digo aturdida.

Joan me interrumpe rápidamente:

—Sabes que puedes, bueno, podéis —corrige mirando a Roy— volver cuando queráis, esta es vuestra casa aquí en el Sur. Y, Flor, cualquier duda que tengas con la comida y la alimentación no dudes en escribirme, que ahora ya existen los emails. Joan sirve la pasta en los platos y nos dirigimos al comedor para empezar a comer.

Roy apenas pronuncia palabra en toda la cena. Sé que está deseando regresar a casa. Mel y Jake no aparecen a cenar. Nadie pregunta ni da explicaciones. La velada transcurre agradable y tranquila. Me fijo especialmente en Robert durante la cena, sé que ama a Joan y de algún modo también a su primer amor desaparecido. Siento que esto del amor es una trampa, algo cruel e injusto. Pero luego recuerdo lo positiva que es Joan, recuerdo todo lo que me ha aportado pasar estos días aquí, gracias a Jake, a todos ellos, y me parece que todo cobra sentido. Como si de algún modo el destino me hubiera traído hasta aquí para hacerme aprender, crecer. Cambiar.

Cuando volvemos a la habitación Roy se pone a trabajar y yo no quiero ni pensar en mis sentimientos ni en

141

cómo va a afectar todo esto a mi vida y a nuestra relación. Una parte de mí se ha alejado totalmente de él, le he sido infiel, no puedo sentirle como antes después de esto. Quiero mucho a Roy, siempre lo he hecho, pero jamás he sentido con él ni una décima parte de lo que siento con Jake, incluso el primer día que lo vi. Esa sensación de que el mundo se detiene. De que me sobra hasta la piel.

Me acuesto algo aturdida y triste. Supongo que mañana me despediré de esta familia y será la mejor manera de dejar todo esto atrás. No quiero, no puedo hacerle daño. Y lo que ha pasado hoy está muy mal. No sé si podré perdonármelo. No sé por qué me siento furiosa con Roy en vez de culpable. Como si de algún modo él se lo hubiera buscado. No tiene lógica alguna.

Necesito dormir. Desconectar del todo. Apago el móvil. Ya.

18

*L*a luz azulada del amanecer se cuela por la ventana, hace un poco de frío. Oigo los primeros cantos de los pájaros. Una melodía dulce con la que me he acostumbrado a despertar. Enciendo el móvil que dejé encima de la mesita de noche solo para ver la hora. Son las seis, pero me apetece dar una vuelta antes de que se despierten los demás. Vuelvo a apagar el móvil; ni emails ni mensajes ni notificaciones. Necesito un rato a solas para mí en este bonito lugar, no puedo dejarlo atrás sin más. Salgo despacito de la cama para no despertar a Roy y me visto con lo primero que pillo. Trato de no hacer ruido y me dirijo al jardín.

El cielo luce un color naranja azulado que transmite magia y la brisa es fresca y húmeda. Aun se puede ver la luna. La niebla acaricia la copa de los árboles a lo lejos, donde empieza el bosque. Me viene como un fogonazo la imagen de mí misma con el móvil, haciendo una fotografía para capturar el momento y compartirlo. Y acto seguido me reafirmo en que no debo escapar de mi misma; tengo que aprender a estar conmigo en soledad.

El momento es ahora solo mío, único e intransferible.

Me acerco al establo y al entrar me detengo a contemplar, quizá por última vez, aquellas criaturas con las que ya me siento más que familiarizada. Saber que tendrán una vida feliz me reconforta y siento un atisbo de esperanza. Esperanza para mí, para ellas, para el mundo.

Veo al fondo una ovejita tumbada, decido sentarme a su lado y hacerle un poco de compañía. Un ruido me sobresalta y, para mi sorpresa, descubro que hay alguien más despierto merodeando por ahí. Me levanto y me acerco a la puerta que comunica con el Santuario. La imagen de Jake arrodillado con uno de los potros me deja sin respiración. No pensé verlo antes de irme. Después de lo de ayer, no sé cómo actuar. Y parece que él tampoco. Se vuelve hacia mí de golpe y le cambia la cara.

—¡Flor! Vaya, pensé que ya no te vería hasta... —se calla como si no quisiera pronunciar esas cuatro letras de «boda»—. Mel me dijo que te vas hoy y tengo unos asuntos en la ciudad en una hora. Pensé que no tendría tiempo de verte antes de que... os vayáis.

—Sí, nos vamos en un rato, pero antes quería, bueno, necesitaba dar un último paseo.¿Qué haces?

—Oh, Jane, la potra, está enferma, hace días que no come y me tiene preocupado.

—Vaya, déjame que te ayude. —Sin dudarlo me arrodillo a su lado y acaricio a Jane, es preciosa y no puedo imaginar que algo malo le ocurra.

—Jake, yo... me siento perdida. Estos días aquí, tu familia, la casa, tú, ayer... Siento que no quiero irme. Como si de un modo u otro en solo tres días me sintiera aquí más en casa que nunca jamás en otro lugar.

Jake me responde casi de inmediato bajando la voz:

—Cuatro.

—¿Qué?

—Que han sido cuatro días —me corrige—. No sé qué me está pasando, que nos está pasando. Pero..., Flor, no puedo sacarte de mi cabeza, a todas horas. No lo puedo controlar. Solo pienso en ti, y después de lo de ayer, de sentirte..., uf. —Agacha la mirada—. Y te juro por mi vida que esto no me había pasado jamás. Eres tú.

—¿Cómo?

—Que eres tú. Sé que lo eres.

No necesito que diga nada más, pues entiendo a la perfección a lo que se refiere.

—Quizá estos días sin vernos nos servirán para...

—¿Para qué? ¿Para olvidarnos de todo esto? Quizá te sirvan a ti, Flor, pero lo mío ya no tiene remedio. Estoy loco por ti. Haría lo que fuera. He llegado a plantearme anular la puñetera boda, incluso estuve a punto de pedirle un tiempo a Mel.

—Jake, ¿qué dices? ¿En serio? —No doy crédito a sus palabras, la cabeza me da vueltas y las mariposas en el estómago no paran de revolotear. Siento un leve mareo.

—Sí, yo no puedo engañar a Mel. Voy a intentarlo. Voy a intentar sacarte de mi cabeza porque sé que tú te vas, porque tienes tu vida, y porque ni yo iré a Nueva York ni tú te mudarás aquí. —Por un momento me doy cuenta de lo mucho que ha tenido que estar pensando en nosotros para plantearse todas esas cuestiones, y lo más curioso es que aunque parecen ideas gigantes y locas, no me producen ningún vértigo.

—Jake, yo...

—No digas nada, por favor. Sé perfectamente lo que está ocurriendo aquí. —Sonríe con tristeza y me coge la mano—. Voy a dejar que sea el tiempo quien lo ponga todo en su lugar. Me casaré con Mel si es lo que debo hacer. Tú sigue tu vida, sé feliz y no sé... Joder, Flor, no lo sé. Te miro y te deseo. —Aparta la vista con furia y suspira.

145

Siento un vuelco en el estómago y unas ganas locas de besarle.

—Jake, te quiero. Lo siento, pero te quiero. Voy a irme y voy a rehacer mi vida, pero jamás podré borrar esto. Quizá lo nuestro sea imposible. No quiero romper tu relación con Mel, es buena chica, está ilusionada y os queréis. Todo esto tiene que ser un error.

Aunque no creo ni una de mis palabras, creo que debo hacerlo, no puedo contarle todo lo que pienso y siento, no puedo ser tan egoísta. Van a casarse y yo seré la fotógrafa de su boda. Fin.

—Sí, supongo que será lo mejor.

Veo cómo se le humedecen los ojos y no puedo evitarlo. Lo abrazo. Con la necesidad y la urgencia de envolverlo, de salvarlo.

—Prométeme que estarás bien. Te salvé la vida una vez... —dice Jake.

—Me la has salvado dos veces.

—Te la salvaría todos los días.

Uf, no puedo más, susurrarme esto mientras me abraza me hace sentir tan pequeña... Me suelta lentamente mientras sujeta con su mano la mía y con la otra me coloca un mechón de pelo detrás de la oreja.

—Te amo, Flor. Si de algo estoy seguro en esta vida, es de lo mucho que amo esto —dice señalando con la mirada el establo— y a ti. Ahora lo tengo claro. Ahora que sé que te vas, una parte de mí se quiebra. Sé que es una locura, que apenas nos conocemos, pero es lo que siento. Si existen las vidas pasadas ten por seguro que estuviste en todas las mías.

Incapaz de pronunciar palabra, vuelvo a abrazarlo y esta vez tan fuerte que casi me duele.

—Tengo que irme, salimos en media hora. —Me aprieta contra su cuerpo y cierro los ojos. El tiempo no se detiene y yo tengo que irme—. Te veo pronto, Jake, despídete de Mel de mi parte y prométeme que cualquier cosa que necesites me lo dirás.

—Ojalá todo fuera más fácil.

—Sí, ojalá…

Con estas palabras nos despedimos y sin mirar atrás salgo del establo. Los ojos me arden y quiero llorar, pero me reprimo. Veo la silueta de Joan en la cocina y me dirijo a despedirme. En cuanto me ve, se acerca y me dice:

—Sé fuerte. Te veo pronto. —Me sonríe y con un leve gesto me pide que me acerque para abrazarme.

—Gracias. Gracias por todo, Joan, me he sentido como en casa.

—Esta es tu casa siempre que quieras, hija.

Nos separamos y con los ojos ahora sí llorosos oigo cómo Roy baja las escaleras con el equipaje.

—Todo listo, nos vamos —dice sin un ápice de emoción.

—Que tengáis un buen viaje —dice cariñosamente Joan. Mira a Roy y con su sonrisa le dedica las últimas palabras—: ¡Cuídala mucho! Es un tesoro.

No puedo evitar sonreír mientras me muerdo el labio, conteniendo la emoción.

—Mil gracias, ha sido fantástico.

Ayudo a Roy con mi maleta y salimos por la puerta mientras nos despedimos con un gesto sutil pero auténtico.

—Id con cuidado. —Oigo a Joan casi gritar cuando acabamos de subir las maletas en el taxi.

—¿Qué se cree, que es nuestra madre? —me dice Roy con mala gana y, una vez más, me parece totalmente fuera de lugar.

Pongo los ojos en blanco y evito la conversación, será mejor que lleguemos a casa cuanto antes y en paz.

147

19

*T*ras seis horas de vuelo con escalas y una de caravana interminable, llegamos a casa. El vuelo ha sido horrible, las emociones no paraban de brotar y recorrer el circuito imaginario que conecta mi corazón con mi cerebro. Contradiciéndose y confundiéndome todo el rato. «Está fatal lo que has hecho.» «No, has sido fiel a tu corazón, como dice la abuela.» «Pero qué va, ¡esto no se hace! Pobre Roy. Pobre Jake. ¿Y Mel? Dios mío, si Mel se entera… ¿En qué estaría pensando? Maldita sea.» «Basta ya.» «¿Volveré a besarle alguna vez? Estoy loca. Estoy fatal. Seré mala persona…» «Tampoco es mi culpa, yo no lo he elegido.» «No es excusa.» «Infiel.»

Ahora que estoy en casa por fin, una parte de mí se siente tranquila, relajada y fuera de peligro. Quizá porque el detonador de ese huracán de emociones ya no está a escasos metros de mí. Quizá porque necesito estar cerca de los míos para pensar con claridad o simplemente por la comodidad y la costumbre de estar en casa, de estar en la que creo que es mi casa.

Dejo el equipaje para mañana. Ahora necesito ir al es-

EL DÍA QUE SUEÑES CON FLORES SALVAJES

tudio, hablar con Syl antes de que me odie por estar tantos días desconectada y revisar la agenda con ella. Seguramente me esperan un montón de entrevistas y reuniones que me mantendrán entretenida estos próximos días. Lo que más deseo es dejar de pensar en esa boda, en ese lugar y en ese hombre. Es tarde, pero le envío un mensaje a Syl a ver si hay suerte y comemos juntas.

> Estoy en casa, voy hacia el estudio. Dime que aún no has comido, venga. ¿O te invito a un segundo postre?

Llego al estudio y todo parece estar como siempre. Un leve sentimiento de culpabilidad por Roy me recorre el cuerpo pero me olvido enseguida al acercarme a mi agenda y ver las innumerables llamadas que tengo pendientes. Qué raro que no haya llegado Syl, todavía no me ha contestado el mensaje. Estará a punto. Reviso los correos en un acto casi mecánico, sin ningunas ganas. Entro en la red y proclamo dudosa a los cuatro vientos:

#devueltaacasa #happiness #NY

Intento creérmelo mientras me dispongo a llamar a la primera pareja que tengo pendiente justo cuando Syl entra por la puerta. Cuelgo de golpe antes de que le dé tiempo a nadie a atender mi llamada.

—¡Bienvenida! —Se acerca con su sincera y amplia sonrisa y me da un abrazo.

—Hola, Syl, ¿cómo estás?

—¿Yo?, divinamente. ¿Y tú? Después de tus vacaciones…

—Vacaciones, dice… Vamos, te invito a comer.

Buscamos un sitio para comer rápido cerca del estudio mientras le cuento todo lo sucedido. Todo. Con pelos y señales, mi conexión con los animales, mi decisión de hacerme vegetariana, Jake, incluso el episodio de la avioneta y la fría despedida. No deja de mirarme, incrédula ante mi relato pero a la vez emocionada. No tiene palabras y eso no es propio de ella.

—¿Qué piensas hacer? —Es todo lo que se le ocurre al fin.

Agacho la mirada y suspiro.

—Nada. No voy a hacer nada. Voy a tomarme todo esto como un error, voy a intentar seguir con mi vida, arreglar mi relación con Roy y hacer las fotos más bonitas del mundo en la boda de Mel. Aparte de eso, aprender la lección, supongo.

—Ahora que me fijo, pareces otra. No solo por esas ojeras mal disimuladas tras el maquillaje sino toda tú. Me transmites una calma que antes no lograbas ni con diez sesiones de masaje completas. Como si una parte de ti hubiera encontrado la paz, como dices. Es extraño. Te he echado de menos. —Se abalanza a mis brazos y me da otro achuchón sincero. Me susurra que todo saldrá como tiene que salir y que no le dé demasiadas vueltas.

Siempre suelta frases del tipo: «Si es para ti, nadie te lo va a quitar», y cosas similares que, la verdad, ahora no son lo que necesito, ni quiero oír. Ya no me las trago.

Al final, nada de comida rápida. Nos pasamos tres horas en el restaurante hablando de mi viaje, mis sentimientos y todo lo que haría ella y yo no haré. Al acabar, volvemos al estudio y nos ponemos a trabajar como si nada de lo que le he contado tuviera la menor importancia, y lo cierto es que se lo agradezco.

Tras un par de horas, hemos avanzado mucha faena. Estoy contestando los último emails cuando el timbre me sobresalta. Syl va a ver quién es.

—Flor, cielo, Roy está abajo —me susurra desde el interfono.

—¿De veras? —No puedo creer que a Roy le apetezca

estar ahora mismo conmigo después de los días que hemos pasado, imagino que querrá saber si sigo siendo el bicho raro o ha vuelto la Flor de siempre.

Recojo los papeles que tengo extendidos encima de la mesa y guardo mi agenda y el móvil en el bolso.

—Sal ya si quieres, seguimos mañana.

—Ok, jefa —bromea—. Sé tú misma, ¿vale? Y no seas dura con Roy.

Asiento con la cabeza sin prestarle mucha atención y empiezo a bajar las escaleras.

Roy me saluda con un leve beso en los labios y me pregunta si me apetece merendar algo, le digo que sí y nos dirigimos a una de nuestras cafeterías favoritas. La velada transcurre normal, no hablamos de nada en particular, solo de trabajo y de hacer algún viaje pronto. Me doy cuenta de cómo intenta esquivar nuestra estancia en Tennessee y eso me hace sentir tranquila. Pide un café con leche y una barrita energética, yo solo un zumo de naranja. Gracias a Dios, Roy no dice nada sobre mi elección. Cuando me deja en el estudio de nuevo, me nace darle un beso tierno y un seco pero sincero «Gracias». Su sonrisa es suave, se despide diciendo que nos veremos por la noche en casa, que disfrute y aproveche la tarde, y desaparece en su precioso coche nuevo.

El resto de la jornada transcurre normal. Trabajo, llamadas y poca conversación. Syl se ha ido temprano y yo aprovecho para avanzar un poco más. Limpio, ordeno el estudio y cuando ya no encuentro nada más que hacer, decido que ya es hora de ir a casa. Me pregunto qué estará haciendo Jake y luego pienso en Mel. No me siento nada bien.

Estoy tan cansada que al llegar me preparo una ensalada de tomates cherri y nueces y me acuesto en el sofá. Son apenas las diez cuando caigo rendida. Mañana será otro día.

20

*L*os siguientes días pasan sin pena ni gloria. Me encierro en el estudio, trabajo como nunca y me relaciono poco con la gente. Incluso Syl, a ratos, se siente incómoda con mis silencios. Quedo con Lili un par de veces, y siempre acaba contándome los problemas que tiene con su novio, al menos consigue una vez más que me evada de los míos. Lili siempre sabe cómo hacerme desconectar. Es una habilidad. Lo cierto es que está pasando una mala racha y no me apetece contarle mis problemas, mis dudas, mi caos. Así que la escucho e intento ayudarla.

Debo admitir que, con los días, la ansiedad por Jake ha disminuido, aunque no desaparecido. Pienso en él todos los días, es inevitable, le echo de menos. Sus palabras, su mirada, pero lentamente va desvaneciéndose la loca idea de una vida a su lado, como había imaginado estando cerca de él.

Oigo sonar el móvil. Un mensaje nuevo. Cojo el teléfono extrañada. ¿Quién me estará escribiendo a estas horas? Son las cinco de la mañana. Es Ana. Mi mejor amiga

152

española desde hace muchos años. Ana es aquella amiga a la que no necesito ver, ni hablar cada día para reafirmar nuestra estrecha amistad y la confianza que nos une. Nos conocimos en el momento adecuado, en el lugar adecuado, y eso entrelazó nuestras vidas para siempre. En el mensaje me dice que ha intentado llamarme sin éxito varias veces, así que marco su número de inmediato. En España deben ser las diez de la mañana. Tengo ganas de saber de ella. Soy un desastre como amiga.

—¿Sí? —Su familiar voz me transporta a la época en la que estábamos tan unidas.

—Hola, Anita, soy yo, Flor.

—Anda, pero ¿te acuerdas de mí? —Ríe contenta.

—¡Qué alegría oírte! Llevo días queriéndote llamar. ¿Cómo estás, cómo van las cosas por Barcelona? —Oírla al otro lado del teléfono me despierta un deseo enorme de ir a verla, de abrazarla, de hablar con ella, de todo.

—¡No te lo vas a creer, Flor! ¡Estoy embarazada! Por fin. —Suena tan entusiasmada y feliz… Siempre ha querido ser mami antes de los treinta y parece que lo ha conseguido.

—¿Embarazada? ¿De veras? ¡Felicidades! No puedo creerlo, que alegría. —La felicidad invade mi cuerpo, que Ana esté embarazada era una de las mejores noticias que podían darme.

—Sí, de cinco meses ya, te llamé en un par de ocasiones pero, hija, es imposible localizarte.

—Sí, lo sé, lo siento. He estado algo desconectada estas últimas semanas. ¿Y cómo es? Cuéntamelo todo, ¿cómo te sientes?

—Tengo tanto que contarte… —«Pues anda que yo», pienso. Pero este es su gran momento—. ¿Cuándo vas a venir a España? Necesito verte, necesito compartir esto contigo.

—La verdad es que me muero de ganas, le prometí a la

153

abuela que iría. Voy a intentar buscar unos días. A mí también me hace falta.

—¿Va todo bien? Te noto algo apagada.

—Oh, no. Todo bien, tengo alguna que otra duda sobre varios asuntos, pero ya te los contaré en persona.

—Por favor, busca un vuelo y ven. Aquí tenemos todos muchas ganas de verte y no te perdonaré que no me veas con esta tripa. Parezco otra.

La imagen de mi amiga con una barriguita me enternece el corazón y me da ese empujoncito que necesitaba para viajar a Barcelona a ver a mi familia y amigos. Creo que ir y pasar unos días allí me irá bien para olvidar todo lo ocurrido en el Sur.

—Sí, de veras lo haré. Te llamo en unos días.

—¡Genial, amor! ¡Te quiero mucho! Te echamos de menos.

—¡Y yo, Anita! ¡Te veo pronto! Cuida esa barriguita. Te quiero.

Nada más colgar un ápice de alegría vuelve a recorrer mi cuerpo. Necesito volver a casa por unos días. Llevo dos años sin ir. Es imperdonable. Oigo a Roy en la ducha, siempre tan madrugador, y me permito quedarme en la cama un par de horas más. Me espera un largo y aburrido día de trabajo.

Tras todo el día en el estudio empiezo a recoger, estoy cansada y quiero acostarme pronto. Ya son las nueve de la noche. Se me ha pasado el día volando. Además, tengo ganas de hablar con Roy.

Nada más entrar lo veo en el sofá viendo la tele y picando algo mientras me espera para cenar. No encuentro las palabras correctas para decirle que necesito irme unos días.

—Hola, ¿qué tal el día?

—¡Genial! He recibido una llamada de Ana, ¡adivina! Está embarazada.

—Ostras, ¿Ana, tu mejor amiga de Barcelona?

—Sí sí, esa. Pues me ha dicho que quiere verme y la verdad es que necesito ir a ver a mi familia. He pensado en ir la semana que viene.

—¿Quieres que te acompañe?

Su propuesta me sorprende y me doy cuenta de que realmente quiere arreglar las cosas.

—No hace falta, cariño. Necesito ir sola. Así podré hablar tranquilamente con mi familia, que hace mucho que no los veo. De veras, que lo valoro mucho. Gracias.

—¿Te ocurre algo, Flor? Siempre nos lo hemos contado todo... Te noto rara.

Sus palabras sinceras y sus ojos pidiendo auxilio me congelan el corazón. Suspiro, una mezcla de alivio y miedo, y se lo suelto todo:

—Estoy confundida, Roy... No eres tú. Es mi vida. En todos estos años juntos todo ha sido genial, de veras. Te quiero como pocas veces he querido, pero estos últimos meses has estado tan inmerso en tu trabajo, en tus proyectos, que he ido sintiéndome sola y poco prioritaria...

El rostro de Roy empalidece y noto cómo un nudo en la garganta le impide hablar.

—Flor, yo... Sabes que te amo. Lo siento. Es cierto que te he desatendido, que me he centrado en mi trabajo y no he estado a la altura. Fue muy feo que desapareciera en tu gran día, en la exposición, pero todo lo que hago, todas las horas de trabajo, las hago por nosotros y lo sabes. Por nuestra vida. Para tener una casa mejor, un coche mejor, para poder viajar más, tener hijos, para que no nos falte de nada, cariño.

Su sinceridad cruda y punzante me hace agachar la cabeza.

155

—¿Y si eso ya no es lo que me hace feliz?

—Joder, Flor, ya no sé lo que te hace feliz. Estas últimas semanas, o meses, nos hemos ido distanciando. Pensé que solo era una mala racha. Pero tu viaje al Sur, ahora tu repentino viaje a España... El hecho de que no quieres que vaya... No sé muy bien cómo reaccionar. ¿Qué quieres, cielo? ¿Qué te hace feliz ahora?

No puedo pronunciar palabra. No lo sé. Ni siquiera yo sé realmente qué me hace feliz ahora. Roy tiene cierta urgencia dibujada en sus ojos, que jamás antes le he conocido. Tiene miedo y Roy jamás lo tiene. Lo miro como si fuera un desconocido y me doy cuenta de lo guapísimo que ha sido siempre, ese pelo perfectamente cortado, ni demasiado corto ni demasiado largo, sus ojos pardos tirando a verdes, sus labios, sus facciones finas pero masculinas, su piel tersa y clara y su cuerpo esbelto. Su elegancia, su generosidad conmigo..., y me doy cuenta de que el problema soy yo. No él.

—Mírame. —Me acaricia suavemente la mejilla mientras intenta acercar su cara a la mía—. Te quiero. Quiero pasar el resto de mis días contigo. Siento mucho no haber valorado tus necesidades. Pensé de veras que solo era una mala racha. No pensé que estabas tan mal. De haberlo sabido, ¡yo qué sé! Eres lo que más me importa. Sé que nunca te digo estas cosas, no soy un tipo romántico ni sensible, pero te quiero con locura y no voy a permitirme perderte. ¿Qué necesitas? ¿Irte a España una temporada? Ve. Ve y vuelve feliz. Por favor...

Había olvidado lo mucho que Roy me quiere. Lo mucho que le quiero yo también. Y me pregunto si es posible amar a dos personas a la vez y entonces lo comprendo. Sí, sí se puede. No por mucho tiempo, al final siempre hay que elegir, y yo ni siquiera tengo elección. Jake no es una posibilidad, Roy sí. Debo arreglar mi relación, debo olvidar esa maldita semana. Debo volver a ser yo. Con nuevas enseñanzas pero, al fin y al cabo, yo. Lo abrazo. No puedo pronunciar palabra. Nos acostamos en el sofá, bajo una fina manta, y dormimos conectados como pocas veces lo hemos hecho. Jake no se desvanece pero tampoco me impide amar a mi novio.

La luz entra por la ventana del comedor y veo a Roy a mi lado, aún abrazado a mi cintura, dormido. Hemos pasado la noche en el sofá. Por la hora, comprendo que no ha ido a trabajar. Pasados unos minutos se levanta y se dirige a la cocina, prepara el desayuno y nos ponemos a hablar como si la conversación de ayer no hubiera ocurrido. Siento un ápice de pena, pena por este hombre, por nuestra relación, por haberle traicionado. Tras hablar de todo un poco, me pide que vaya a España, que cuando vuelva todo irá mejor. Que a mi regreso empezaremos con los preparativos de la boda. Le sonrío. Me devuelve la sonrisa y me dispongo a comprar los billetes.

157

21

Cuatro tonos de llamada y nada. Buzón de voz. Voy a
volver a intentarlo. Un tono, dos…

—¿Diga?

—¡Abuelita!

—¡Buenos días, Florecita! Hace días que esperaba tu llamada. Perdona, estoy en los vestuarios del club de natación, acabo de terminar mi clase diaria.

—Lo sé, ya lo imaginaba. ¿Me oyes bien?

—Sí, dime. ¿Cómo estás? ¿Cómo fue el regreso a Nueva York? ¿Mucha nostalgia?

—Abuela, tenemos mucho de qué hablar.

—Ay, espera, hija, deja que me vista y llegue a casa y nos llamamos tranquilamente. Que yo también me muero por oír tu historia.

Sonrío como una niña pequeña detrás del teléfono.

—Sí, abuela, vístete y hablamos. —Cuelgo casi sin dejar que se despida.

El sol me acaricia la cara. Guardo el teléfono móvil y tras diez minutos de espera veo cómo la puerta del club se abre y aparece mi adorable abuela. Observo desde lejos cómo se aproxima, sé que no puede ni imaginar que estoy aquí. Así que la dejo pasar. No repara en mi presencia, seguramente va demasiado concentrada pensando en qué le voy a contar cuando llegue a casa y me llame. Me acerco a ella por detrás y por un momento me encanta mirarla. Es tan especial. Doy un par de pasos para alcanzarla, le doy un toquecito en la espalda y justo cuando empieza a darse la vuelta, le digo:

—Disculpe, qué le parece si empezamos a hablar ahora mismo.

La cara de mi abuela se ilumina y me abraza emocionada.

—Pero ¿qué haces aquí? ¿Cómo no me has avisado de que venías? Hubiera preparado cosas…

Me echo a reír, ella siempre tan previsora.

—Quería darte una sorpresa. Tenía tantas ganas de verte…

—Qué ilusión. Gracias, cariño. Vamos a casa, dejaré la mochila y nos vamos a dar un paseo, imagino que tienes mucho que contarme.

Mientras nos dirigimos a casa una extraña paz se apodera de mí. Al final decidimos quedarnos en el sofá hablando y le cuento lo ocurrido. Con todo lujo de detalles. La abuela me escucha con todos sus sentidos puestos en mí.

—Cariño, esto es algo importante. Todo tu mundo ha cambiado gracias a ese hombre. Te salvó la vida, es normal. Es normal que una parte de ti siga enganchada a él, y más aún después de todo lo que te ha hecho sentir.

—No sé, creo que debería dejarlo pasar, seguir con mi vida como si nada de esto hubiera pasado.

—Yo creo que ya es hora de que te cuente mi historia. Quizá pueda servirte de ayuda.

—Sí, por favor, quiero saberlo todo.

159

—Como bien sabes, después de la guerra mi familia y yo emigramos a los Estados Unidos. Yo apenas era una niña, con quince años. ¿Qué iba a saber yo de la vida y mucho menos del amor? —Suspira y cierra los ojos por un instante—. Cuando llegamos a Tennessee yo lo viví como un castigo, tuve que dejar a todos mis amigos atrás y no me sentía feliz. Ni siquiera reparé en la belleza del lugar hasta que conocí a Joan.

—¿Cómo? —la interrumpo dudando de si podría ser posible.

—Que no fue hasta que conocí a la que sería mi mejor amiga allí, Joan. Una chica americana que me brindó su amistad desde el primer día.

Incapaz de asimilar lo que estoy descubriendo le pido que siga, asintiendo con la cabeza, con el corazón en un puño y un nudo en el estómago. Todo tiene sentido ¿Cómo no había caído en ello?

—Las primeras semanas fueron duras pero nos hicimos inseparables. Me enseñó los lugares más remotos de esas maravillosas tierras, salíamos, tomábamos helado, reíamos, crecíamos y nos enamorábamos. Cuando apenas llevaba seis meses allí, ya amaba ese lugar, a su gente, su gentileza y amabilidad. Un día fuimos a una feria que había en el pueblo de al lado, Gatlinburg, y ahí ocurrió: detrás de un puestecito de almendras y otros frutos secos estaba él. Robert. Un joven moreno y apuesto, su belleza me cautivó desde el primer instante. Tuve que acercarme, Joan me miraba con cara extraña, pero me siguió, sin preguntar. El chico me ofreció probar unas almendras saladas que tenían una pinta exquisita y así empezó todo.

»Al ver la cara que puse al probarlas me sonrió y, en un gesto de rebeldía, robó un paquete y me lo regaló sin que nadie se diera cuenta. Me guiñó un ojo y me susurró: «Marchaos, rápido o se me caerá el pelo». Aún lo recuerdo como si fuera ayer. Caí rendida a sus pies. Cualquier chica se hubiera enamorado. Ese verano empezó el romance más tierno e inocente de mi vida. Mi amiga y yo íbamos cada tarde al puestecito de Robert a hacerle compañía. Al salir, él nos acompañaba a casa, primero dejábamos a Joan y después dábamos largos paseos por el bosque, cogidos de la mano. Era un romántico, un chico sensible como pocos. Cuando recuerdo esa época de mi vida, lo hago como una de las más felices.

Parpadeo incrédula al corroborar que sin duda Robert es el padre de Jake.

—Pasé unos años magníficos al lado de Robert y Joan, éramos como un equipo. Hasta que sucedió lo peor que podría haber pasado. Mis padres decidieron volver a España y mi mundo se partió en dos.

Mientras escucho a mi abuela contar esa historia me doy cuenta de lo familiar que me suena todo, no sé cómo decirle que yo los conozco, que son los padres del hombre del que me he enamorado. ¿Cómo le digo que puedo llevarla hasta ellos? La dejo seguir.

—Cuando se lo conté a Joan, se puso muy triste y lloramos juntas durante días. Pasamos las últimas semanas durmiendo todas las noches en su casa hasta que un día me levanté a media noche y oí a Joan llorar en el baño, con su diario verde botella entre los brazos, y pensé que sería mejor hacerme la dormida, sin duda ella no quería que la viera así.

»Al día siguiente la curiosidad me mataba y, mientras ella bajaba a la cocina a tomar el desayuno, cogí su diario, lo metí en mi mochila y le dije que iría a desayunar a mi casa. Quería leer su diario, quería saber qué había escrito sobre mi partida, pero lo que descubrí fue algo espantoso. Páginas y más páginas de dolor enmudecido. De tristeza y miedo. Joan estaba locamente enamorada de Robert. Los escritos se remontaban al mismo día que lo conocimos. Ella ya sabía quién era él, lo tenía visto del pueblo. Nunca me lo dijo. Al leerlo sentí que todo lo que ella sentía, esas palabras que plasmaba, ni mis sentimientos hacia él se asemejaban a tanto amor. Yo quería a Robert, estaba enamorada, pero sus sentimientos eran algo de otro mundo. No sé si intensificados por lo prohibido, por ser mi novio o porque realmente le amaba con todo su corazón desde antes de que yo lo conociera.

»Describía cada detalle de él, cosas en las que yo ni siquiera reparaba, incluso escribía gestos que veía en él hacia ella que la hacían sentir feliz. Soñaba con que algún día nos desenamoráramos y ella se pudiera casar con él. Cosas de niñas, supongo, pero que en ese momento me destrozaron el corazón. Mi mejor amiga había estado sufriendo en silencio por mí, por mí y por Robert, para que nosotros fuéramos felices. No era justo, yo la quería, quería que ella fuera feliz.

»La noticia de nuestra partida inminente y aquel descubrimiento me cambió. No pude volver a ver a Robert como antes. Apenas me quedaban unas semanas a su lado pero ya solo veía el sufrimiento de mi amiga. Robert pasó por todos los estados: furia, tristeza. desconfianza, miedo... Me pedía que me quedara, que nos casáramos, que él me amaba, que me seguiría adonde hiciera falta. Ya éramos casi mayores de edad, pero yo no pude. A veces la amistad se antepone al amor. Jamás imaginé que yo pronunciaría estas palabras, pero sabía que poco podía hacer. Por más que quisiera a Robert, no iba a quedarme ahí si mi familia partía. Quizá eso ponía a prueba que mi amor por Robert no era tan fuerte como creía. Ni siquiera pudimos despedirnos.

»Me pasé los últimos días llorando con Joan. Ella me pedía que me quedara, que lo hiciera por Robert. Fue una amiga ejemplar hasta el final, pero yo no pude. Jamás le confesé que lo sabía todo. Jamás pude agradecerle esos años de amargura por mi felicidad, pero comprendí que ahora era mi momento de devolverle el favor. Me fui. Le prometí a Robert que jamás lo olvidaría y que cuando pudiera volvería a visitarlo sin duda. Era mentira.

»Llegué a España y decidí desaparecer de sus vidas, sabía que no tenía los medios para regresar a los Estados Unidos y que tardaría una década en conseguirlo. No eran los tiempos de ahora, aquí todo era suma pobreza y no era justo mantener el corazón de Robert ocupado por tantos años, ni el dolor de Joan por un fantasma. Yo ya no estaba en sus vidas e hice una de las cosas más difíciles que he hecho nunca. Desaparecer. Ignoré sus cartas, jamás les contesté.

Mi abuela se detiene un momento para tragar saliva y una lágrima de emoción le recorre la mejilla.

—No sé nada de ellos desde hace más de 48 años. 163 Ahora ya será imposible encontrar su rastro, quién sabe si aún viven. Solo deseo que al final Robert pudiera abrirle su corazón a Joan. Me los imagino viejos, arrugados y felices. Viviendo en una gran casa con muchos hijos y quién sabe, algún que otro nieto.

Mi abuela suspira y yo me muero por contárselo todo. Que son felices, que están juntos, todo. Pero no para de hablar y sé que necesita soltarlo.

—Conocí a tu abuelo poco tiempo después. Él fue mi gran amor, el verdadero. Pero nunca he podido olvidar a Robert. No olvido el daño que le hice, lo fría que fui, y es algo que siempre quise contarle. A él y a Joan, disculparme de algún modo. Cuando podía hacerlo era demasiado reciente y ahora ya es demasiado tarde. Me da miedo descubrir que no fue así. Que se distanciaron. Que nunca fueron felices y que le arrebaté ambas cosas a mi gran amiga. Mi amistad y su gran amor. —Suspira—. Flor, cariño, en la vida todo son elecciones. Elegir es renunciar. Nunca sabemos si será lo correcto o no. Pero a veces solo hay que decidir.

—Abuela, yo…

—No digas nada, hija, nunca había hablado de esta historia con nadie. Desde que tu abuelo falleció siento una tristeza enorme. Siento que debo una disculpa, pero es en vano…

—No, no lo es… —Me muerdo la lengua, no quiero desvelarle que lo sé, quiero sorprenderla, llevarla ahí, contárselo todo, hacerla feliz. Todos se alegrarían tanto con el reencuentro…

Mi abuela me mira con los ojos aún inundados de emociones y me pide que siga a mi corazón. Ella lo hizo y tuvo una vida feliz. Pero por ello tuvo que abandonar al chico que amaba. No falló, pero nadie le aseguró que fuera lo correcto.

Pasamos una hora más hablando sobre Tennessee, deseo a cada segundo contarle la verdad, pero no me creería, prefiero pensar durante unos días como decírselo. Es algo tan increíble, tanta casualidad, tantas cosas inexplicables que quiero hacerlo bien. Quiero llamar a Joan, quiero llevar a mi abuela allí. Pero por el momento me limito a cuidarla. Darle mucho amor y prometerle que la llevaré a Tennessee un día de nuevo.

Entonces le pido que me acompañe a la boda y tras negarse, aludiendo que no quiere ser un estorbo, la convenzo. Ha sido fácil. Me admite que le da miedo ir, despertar emociones que yacen dormidas, ¿Quién sabe? ¿Y si se encuentra con Joan y la odia? Afirma que es remotamente posible y la atemoriza la idea. Tengo que morderme la lengua para no explotar. Estoy emocionada y feliz. Me doy cuenta de que gracias a lo que mi abuela hizo, a su decisión, Jake existe, es más, gracias a enamorarse del abuelo después, existo yo. La decisión de mi abuela ha creado todo lo que está pasando ahora. Nunca he creído en dimensiones tan espirituales y profundas pero es todo tan extraño, tan mágico y misterioso que me pregunto si será el destino. Vidas pasadas. Amores cósmicos. Yo que sé.

Paso los próximos dos días visitando a la familia y amigos cercanos. He podido ver la barriguita de mi gran amiga Ana y escuchar sus consejos sobre qué debía hacer. Ella siempre tan coherente, tan perfecta. Le he hecho unas fotos preciosas. Y confesado que gracias a su embarazo me había animado a viajar a España y he compartido con ella todos los descubrimientos de la abuela y la familia de Jake. Ana no daba crédito, no podía creer que estas cosas pasaran y me ha animado a contárselo a la abuela, está segura de que la haría muy feliz.

El resto de los días pasan plácida y lentamente, paseos con mi abuela, comidas en familia con mis padres y mi hermano y nada de trabajo. Roy me llama un par de veces, asegura que no quería molestarme pero que me echa de menos. Debo admitir que lo extraño: la comodidad de nuestro hogar, nuestras cenas en lugares increíbles, nuestras noches de ópera y conciertos, nuestros viajes. Pero la imagen de Jake no desaparece, recuerdo sus labios, su voz, sus brazos. La necesidad de sentirle de nuevo, de tenderle la mano. Pensé que después de más de un mes ya se me habría pasado. Pero no es así. Sigue presente como el primer día. No he vuelto a tener noticias suyas. Así que creo que realmente ha intentado borrar lo que sucedió y lo ha logrado.

165

22

*L*levo ya seis días de relax en Barcelona. Hoy me he levantado con ganas de indagar más sobre el veganismo. Mi
relación con mis padres siempre ha sido estupenda, pero en
este viaje he preferido quedarme en casa de la abuela para
hacerle compañía. Mi madre se pasa los días con nosotras
y yo no paro de darles la lata con el trato a los animales.

Ya hace un mes y medio que no como nada de carne y
me han entrado ganas de investigar. Es tarde, deben ser
pasadas las once de la mañana, pero soy incapaz de moverme de la cama. Hoy es uno de esos días nostálgicos en
que llamaría a Jake para que me diera fuerzas, para que re-
solviera mis dudas, pero no me atrevo. Ni siquiera la curiosidad por cómo estará, por cómo se estará sintiendo él
con todo lo que pasó, ni las ganas de contarle la verdad a
Joan me hacen descolgar el teléfono.

Me levanto perezosa, me acerco a la cocina a por algo
de zumo y, después de toda la semana sin tocar el portátil,
lo abro. Nada más abrirlo veo que dos correos bailotean en
la bandeja de entrada. Me da pereza, ya los miraré más

tarde. Abro internet y escribo: «¿El veganismo es sano para la salud?». Un sinfín de artículos aparecen ante mis ojos; abro uno al azar.

Las dietas veganas adecuadamente planificadas son saludables, nutricionalmente adecuadas y pueden proporcionar beneficios para la salud en la prevención y en el tratamiento de ciertas enfermedades. [...] Son apropiadas para todas las etapas del ciclo vital, incluyendo el embarazo, la lactancia, la infancia, la niñez y la adolescencia, así como para deportistas.

Salgo de la página y sigo buscando. Quiero saber más, quiero saber por qué es sano. Encuentro este otro artículo.

A través de largos estudios e investigaciones, los científicos hallaron que el hombre en sus orígenes era vegetariano. Solo comía carne en períodos de extrema crisis. Así fue como en la última era glacial, en la cual escasearon las frutas, verduras y oleaginosas, el hombre por un problema de subsistencia comienza a comer carne de animal. Luego esta costumbre continuó. A la escasez de alimentos se suma la reproducción humana. En un principio, los frutos de la tierra son suficientes; cuando las poblaciones aumentan, la agricultura no cubre todas las necesidades, ello también impulsa al hombre a la pesca y la caza. El hombre descubre el fuego y así van encadenándose los hechos hasta llegar a la civilización actual, en la cual el avance tecnológico es tan grande que se va perdiendo la visión del hombre como ser humano. Llegados a este punto, comienzan los movimientos que nos están ayudando a despertar las conciencias dormidas. La tecnología es un arma poderosísima tanto para el bien como para el mal. Aquí entra en juego el libre albedrío del hombre y su derecho a equivocarse. La tecnología debe estar al servicio del hombre y del planeta, y jamás deberían estos ser destruidos por ella. Sin embargo, esta-

167

mos en uno de los momentos más culminantes, en el que si no damos marcha atrás y comenzamos a preservar lo que nos queda, pronto no nos quedará nada.

El naturalista francés George Cuvier es considerado el creador de la anatomía comparada. En uno de sus artículos dice:

> La anatomía comparada nos permite ver que el hombre se parece en todo a los animales frugívoros, y en nada a los carnívoros. La carne muerta solo es susceptible de ser masticada y digerida por el hombre si se la disfraza y se la hace más tierna con preparativos culinarios; así, la vista de carnes crudas y sangrantes nos produce horror y repugnancia.

Mi cara es un poema con cada fragmento que leo. Si bien Jake me habló mucho del amor y la compasión hacia los animales que comemos, ahora estoy descubriendo mucho más, estoy abriendo los ojos a una nueva realidad sobre salud, sobre nuestra verdadera naturaleza. Siento un sinfín de emociones y una necesidad voraz de descolgar el maldito teléfono y marcar el número de Jake. Sigo leyendo.

> CARNÍVORO: Tiene garras, sin poros en la piel, transpira por la lengua para refrescar la piel. No suda. Los dientes frontales son afilados y puntiagudos para desgarrar la carne. No tiene molares lisos. Tiene glándulas salivales pequeñas, suficientes para su tipo de alimentación. Tiene saliva ácida, no posee ptialina. Su estómago segrega ácido clorhídrico muy concentrado para digerir cartílagos, nervios, músculos, etcétera. No mastica, devora pedazos. Tiene intestino corto, tres veces el largo de su cuerpo, para facilitar la salida de la carne, que se descompone rápido. Evacua entre las dos y cuatro horas después de comer.

HERBÍVORO: No tiene garras, transpira por millones de poros en la piel. Suda mucho. Los dientes frontales no tienen filo ni son puntiagudos. Los molares son chatos para moler el alimento. Las glándulas salivales están bien desarrolladas para digerir frutas y verduras. Tiene saliva alcalina y abundante ptialina para digerir cereales.

El ácido clorhídrico de su estómago es veinte veces menos concentrado que el de los carnívoros. Mastica. Su intestino es largo, doce veces la medida del cuerpo. Los cereales y frutas tardan mucho más en descomponerse. Evacua entre las cuatro y ocho horas después de comer.

SER HUMANO: No tiene garras, transpira por millones de poros en la piel. Suda mucho. Los dientes frontales no tienen filo ni son puntiagudos. Los molares son chatos para moler el alimento. Las glándulas salivales están bien desarrolladas para digerir frutas y verduras. Tiene saliva alcalina y abundante ptialina para digerir cereales.

El ácido clorhídrico de su estómago es veinte veces menos concentrado que el de los carnívoros. Mastica. Su intestino es largo, diez veces la medida del cuerpo. Los cereales y frutas tardan mucho más en descomponerse. Evacua entre las cuatro y ocho horas después de comer.

Me doy cuenta de que, por más que lea artículos al respecto, nada podrá convencerme más. La decisión que he tomado es la correcta. Si somos casi cien por cien herbívoros en nuestra naturaleza, ¿cómo pueden habernos ocultado esto en la escuela, o los médicos? Es todo tan confuso. Está claro que esto es un negocio, un gran negocio de la industria cárnica. Siento asco y mucha impotencia.

Acabo de recordar que le prometí a Syl que le enviaría un correo con todas las tareas pendientes. Abro el correo y oigo dos zumbidos que vienen de mi bandeja de entrada, dos nuevos mensajes. Cuatro no leídos en total. Abro para ver de qué se trata y nada más leer su nombre empiezan a temblarme las manos. Tres son de Jake y el otro de unos clientes. Clico su primer mensaje.

Hola Flor, siento si te incomoda que te escriba, no quisiera molestar.

He borrado y reescrito este mensaje 12 veces, esta es la 13 y voy a enviarlo sí o sí.

No estoy pasando por un buen momento, desde que te fuiste mi mundo se ha derrumbado, mis sueños, mis anhelos y todas mis expectativas. Estas últimas semanas me he centrado en el rescate de varios animales y me he buscado algún que otro enemigo.

Es una larga historia, ojalá pudiera contártela y pudieras aconsejarme. Necesito oír tu voz. Te echo dolorosamente de menos, no dejo de pensar en ti, en cómo estarás en Nueva York, en si piensas en mí, en fin... No voy a molestarte más. Llámame por favor, te dejo mi teléfono nuevo. 555 68 98. Tuve que cambiar el viejo por culpa de un problema que tuve, precisamente de los que te contaba hace un segundo.

Sé que desvivirme con tales injusticias me hará perder el juicio, pero ahora mismo es lo único que me hace despertarme por las mañanas.

Un abrazo con toda mi alma.

Solo deseo que estés bien.

Llámame.

Jake

Con un nudo en el estómago veo la fecha del mensaje, es de hace ocho días. No me gusta nada su tono, lo que me transmite, me pone muy triste y me preocupo sobre qué ha podido pasar. Espero que no haya cometido ninguna locura y me pongo en lo peor, quizá haya entrado en alguna granja y lo han pillado o haya robado algún animal del matadero, quien sabe de lo que es capaz este hombre. Veo que hay otro correo de él de hace cinco días. Lo abro sin vacilar.

> Flor, perdóname.
> Necesito hablar contigo. No encuentro consuelo en nadie aquí.
> Solo dime que estás bien, si no quieres llamarme no pasa nada, pero dime cómo estás.
> Jake

La urgencia en su modo de escribir no es para nada típica en él, más bien todo lo contrario. Un nuevo nudo en la garganta me sobrecoge y justo cuando voy a marcar su número, me doy cuenta de que aún me queda un mensaje suyo por leer. Miro la hora, es de hace apenas cuarenta minutos.

171

> Buenos días Flor,
> Soy Mel, te escribo desde el correo de Jake porque me he quedado sin ordenador y no recuerdo la contraseña del mío. Maldita costumbre de dejarla guardada por defecto en el portátil y tener siempre la sesión abierta. Necesito hablar contigo. Llámame, es urgente, también he perdido tu teléfono. Es largo de contar.
> Gracias. Un abrazo.
> Mel

Qué habrá ocurrido. Llamo al número de Jake que ya tenía marcado pero me salta el buzón de voz. Me pongo de los nervios. Lo intento diez veces más, ya sin esperanza alguna. Busco el teléfono de Mel, y lo mismo. Maldita sea. ¿Qué está pasando? Los nervios me colapsan y me dispongo a contestar el correo.

Hola Mel, Jake,

¿Cómo estáis? ¿Ocurre algo?

Os he intentado llamar, por favor poneos en contacto conmigo lo antes posible.

Gracias,

Flor

Deseando que me contesten, me paso las siguientes dos horas en casa frente al ordenador, trato de llamar en dos ocasiones más pero no hay manera. «¿Habrá leído Mel lo que Jake me escribió? Imagino que los borraría. No será tan inocente de haberlos dejado en su correo. Madre mía, por favor, que no lo haya visto, que no se lo haya contado. Llamadme ya, por Dios. ¡Llamadme ya!» Me retumba la cabeza.

Intento leer un rato, ver la tele. Nada logra entretenerme. La abuela vuelve de sus clases de natación y gimnasia diaria y le cuento lo ocurrido. Intenta tranquilizarme como puede. Trato de comer algo, pero no tengo hambre. Llevo todos estos días deseando recibir noticias de Jake, una llamada, lo que fuera, un excusa para saber de él. ¿Cómo no se me había ocurrido mirar el correo? Parece abrumado, como si realmente necesitara hablar conmigo. «Seré imbécil.» Me invento mil teorías, que se haya ido de casa, que haya habido alguna pelea familiar, que le haya pasado algo al abuelo, o a Joan, cielo santo, quizá ha pasado algo en el Santuario. Rezo por que no sea así, que no sean más que mis impresiones y justo cuando empiezo a intentar comer algo, suena el teléfono. Número desconocido.

—¿Sí?

—Flor, hola, soy Mel. —Jamás imaginé que la voz de Mel podría hacerme sentir tan bien.

—Mel, ¿cómo estás? —No sé muy bien cómo preguntarle por Jake, en realidad es todo lo que me interesa.

Ella rompe a llorar.

—No quería llamarte aún, llevo dos días histérica preguntándome qué hacer…

—Pero tranquilízate, ¿qué ocurre?

—Es Jake.

El corazón se me dispara.

—¿Qué ha ocurrido, estáis bien?

—Sí, bueno no, no es nada entre nosotros, es… —Llora y me quedo sin respiración incapaz de pronunciar palabra, me pongo en lo peor—. Ha ocurrido algo terrible. Jake… Jake está en el hospital.

Siento cómo el miedo se apodera de mí. Incapaz aún de respirar, suelto histérica y tartamudeando por los nervios:

—¿Cómo? ¿Qué… qué ha ocurrido?

—Es largo de explicar, no lo sé muy bien… No sé nada de él últimamente. Maldita sea. Algo pasó… —El llanto le impide hablar.

El corazón se me desboca, Jake estuvo intentando contactar conmigo, me necesitaba, ¡Mierda! ¿Por qué no habré mirado el puñetero email?

—Mel, por favor, trata de explicarme, por Dios…

—No lo sé, Flor. No es asunto tuyo, no quiero preocuparte, solo es para decirte que espero que todo salga bien, espero que la boda siga en pie, pero tenía que contártelo por si acaso. Jake… Jake… —Se derrumba—. Está en coma.

—¿Qué? ¿Cómo, qué ha ocurrido? —Siento como si me arrancaran el corazón de cuajo. Como si nada pudiera dolerme más en este maldito mundo, hubiera preferido que me arrancaran la piel a tiras antes que oír eso.

—No lo sé, Flor, su puta manía de salvar el mundo le va a desgraciar la vida. No sé nada, se metió en problemas. Graves. Amenazó a quien no debía, hace dos noches llegué a casa y me lo encontré todo patas arriba como si hubieran

173

entrado a robar. Me aterré, no me atreví a subir, llamé a Jake al teléfono mientras salía corriendo, pero para mi sorpresa su teléfono sonaba dentro de casa. Volví a entrar, subí las escaleras y ahí estaba... Tumbado al lado de la escalera, inconsciente. —Mel solloza sin parar y yo estoy a punto de desmayarme—. Alguien quiso darle un aviso a él y a su familia. Ese jueguecito al que juegan de cambiar las leyes les está saliendo caro. No son dioses. No pueden pretender hacer lo que hacen y que nadie se indigne. Cielo santo. No sé qué hacer. Flor, disculpa, debo colgar. Te iré llamando. Estamos esperando a que vuelva en sí.

—Espera, por favor, Mel, no cuelgues. Dame el teléfono de Joan, por favor, te lo suplico. —Mi urgencia me delata.

—¿Por qué? Ya te lo iré contando yo.

—No, por Dios, Mel. He cogido mucho cariño a tu familia. Necesito hablar con Joan. Dámelo —Más que una súplica parece una orden.

—Está bien, luego te mando un mensaje, ahora no lo tengo a mano.

Cuelga antes de que pueda despedirme. Siento cómo mi mundo se desmonta.

Empiezo a sollozar. Mi abuela, que me mira con los ojos como platos, se acerca enseguida, le cuento lo sucedido y me abraza tan fuerte que casi no puedo respirar. Me tumbo a llorar con la impotencia de no poder hacer nada. No puedo llamar a todas horas para saber novedades, Mel no entendería por qué tanto interés, no tengo el teléfono de Joan y encima estoy a miles de kilómetros de Estados Unidos, nada podría ir peor. Intento no pensar en nada y vuelvo a mi antigua casa para echarme un rato y no pensar. Mis padres van a pasar el fin de semana fuera, así que podré estar sola.

Llego, bajo todas las persianas, me tumbo en el sofá y siento cómo el mundo se disuelve. Me levanto pasadas cinco horas directa al baño para vomitar lo poco que he comido. Vuelvo a echarme pero no consigo dormirme de nuevo. Cojo el teléfono e intento distraerme. Veo que estos últimos días he estado muy desconectada y tengo varios mensajes y notificaciones sin leer. No puedo creer que haya 6000 seguidores nuevos en mi cuenta de Instagram en menos de tres días. Es una locura. Todo ese montón de gente admirándome, envidiando mi vida perfecta, en Nueva York junto a mi perfecto futuro marido y yo aquí tan perdida. Tan lejos. Tan sola.

Me dan ganas de ir al espejo y fotografiarme así sin más. Con los ojos y la nariz enrojecidos de tanto llorar. Y publicarlo junto al hashtag:

#todoesunaputamierda

Pero no puedo. No puedo hacerlo. Rectifico. No me atrevo. Miro las fotos que he publicado recientemente. Yo en el aeropuerto, yo en el espejo del fabuloso baño de nuestro apartamento, yo en la Quinta Avenida, yo de compras, yo, yo, yo... Pero en absoluto «yo» de verdad. Y ahora que es realmente cuando necesito gritarle al mundo entero que estoy hecha polvo, cuando de verdad necesito sus palabras de consuelo, de cariño, de admiración..., ahora que soy más yo que nunca, sin tratar de aparentar, no lo hago. Menuda estupidez.

Contemplo el techo de la habitación con la mirada perdida y reflexiono sobre la falsa identidad que muestro en mis redes sociales. No es que las cosas que muestro no sean verdad. Si no, no lo haría, pero ¿y todo lo que no cuelgo? ¿Será la gente consciente de eso? ¿De que sufro como ellos? ¿De que nadie es perfecto? Por más viajes, lujos, ropa gratis y casas. Casas de muñecas. Pienso en las personas que me mandan emails de admiración contándome lo mucho que envidian mi vida y en cómo les contesto como una idiota con un simple «Muchas gracias», cuando lo que merecen es la verdad. Que les diga que no se preocupen, que todos tenemos malos momentos, que no tienen que envidiar mi vida, que mi vida es exactamente como la suya, que todos nos perdemos alguna vez en el camino.

En el buzón de entrada de mi email abro el primer mensaje que encuentro, con «Eres mi inspiración» como asunto.

> Hola, Flor.
> Perdona el atrevimiento. Soy Gloria y solamente te escribo para decirte que eres un ejemplo a seguir, una artista y una inspiración. Estoy pasando una mala racha y verte tan feliz me da mucha envidia, sana, ¿eh? :) Te deseo lo mejor, no cambies.
> Un abrazo sincero de alguien que te admira,
> Glory

No lo dudo ni un momento y hago algo que no había hecho jamás. Ser honesta.

> Hola, Glory:
> Gracias por tus palabras, me acaban de alegrar la tarde.
> Verás, yo también estoy pasando por un mal momento. Sé que no es lo que esperas leer, que imaginabas un «Ánimo, tu puedes con todo», pero eso ya lo sabes.
> No tienes que envidiarme, mi vida no es mejor que la tuya. Hazme un favor. Coge las últimas diez mejores fotos que tengas, de los mejores momentos de estos meses. Ahora míratelas una al lado de la otra. Fíjate en tu sonrisa, en el brillo de tus ojos, lo bonita que seguro que eres, los momentos irrepetibles, algún restaurante que seguramente te gustó y decidiste fotografiar. ¿Quizás algún viaje o salida especial? ¿Ves lo feliz que eres si te concentras solo en los buenos momentos? Pues esa es la parte que ves de mí...

Te lo digo con todo mi cariño, no quiero que pienses que mi vida es mejor que la tuya. Somos iguales. La única diferencia es la perspectiva con que lo miras.

Un abrazo aún más sincero y mil gracias por tus palabras.

Con Amor,

Flor.

El ruido del timbre me despierta, ya son las siete de la mañana. He dormido toda la tarde y hasta ahora. ¿Quién diablos será? Me levanto enfurecida y miro por la mirilla, es la abuela. No estoy de humor, abro la puerta sin saludar siquiera y me tiro en el sofá.

—Cielo, tienes que desayunar. ¿Hay nuevas noticias?

Mierda, no he mirado si Mel me ha mandado el mensaje con el número de Joan. Corro a por el móvil y no hay nada. ¡Maldita sea!

Intento llamar al número desde el que me llamó Mel y comunica. Debía ser el teléfono del hospital o yo qué sé.

—Abuela, tengo que ir, tengo que verlo. Intentó contactar conmigo, me necesitaba. Me salvó la vida y yo no he hecho nada. ¡No he hecho nada! —La rabia se apodera de mí.

—No es tu culpa. Por favor, Flor, trata de tranquilizarte, come algo y pensemos qué podemos hacer.

—Nada, abuela, no puedo hacer nada, solo hablar con su madre. Ella lo sabe todo.

—¿Ella sabe que estás loca por su hijo?

—Sí, ella me oyó un día cuando te lo conté por teléfono…

—Virgen santa, ¿y qué dijo?

—Dijo que él me quería, dijo que me miraba de un modo especial, me guardó el secreto. No sé, abuela, necesito estar a su lado. No puedo, siento un nudo en el estómago, me cuesta respirar.

Mi abuela me tiende la mano.

—Relájate, seguro que esta tal Mel está aturdida, cuando recuerde que te dijo que te mandaría el teléfono, te lo mandará.

—Abuela, por favor, ¿y si se muere? Intentaron matarlo o yo qué sé. ¿Y si van al hospital y le hacen daño? ¿Y si hacen daño a Joan?

—¿A quién?

—¡Mierda, yaya, a nadie! A su madre, a quien sea...
—Olvidaba que aún no le había contado a la abuela quién es realmente Joan.

—Cariño, intenta pensar con claridad. Por favor, escúchame. Coge un vuelo ahora mismo y ve a verlo. Qué importa lo que Mel piense. Ve y quédate a su lado. Dile que lo haces por la familia, por la madre, por quien quieras. Pero no puedo verte así.

—No puedo, soy su fotógrafa de boda. Si voy, ella sospechará, Roy me odiará, todo se está yendo al traste.

Abro los correos que me mandó Jake, los releo una y otra vez tratando de leer entre líneas y me siento terriblemente mal. Le pido a la abuela que me deje sola y vuelvo a echarme en la cama.

23

*L*os rayos de sol me impiden seguir durmiendo, después de pasar tantas horas en la cama debo tener un aspecto horrible. Me dispongo a levantarme y un dolor de cabeza agudo me hace tumbarme de nuevo. Debo pensar con claridad y tomar una decisión.

Cojo el teléfono con torpeza y marco el número de Roy. Descuelga a la primera.

—Flor, cielo. Ya era hora —contesta preocupado.

—Buenos días, cariño, necesitaba oír tu voz.

—¿Qué ocurre?

Siento que no puedo mentirle más, es mi compañero y mi apoyo.

—No lo sé, Roy, estoy hecha un lío. —Necesito hablar con alguien y él merece saber la verdad.

—¿Ha ocurrido algo? ¿La familia está bien?

—Sí sí... Es solo que estoy confundida. Desde que volví de Tennessee me siento extraña.

—Ya...

—No sé, Roy, no sé por qué es —miento pero a la vez

trato de ser lo más sincera posible—. Conocer a esa familia me cambió la vida, siento que no soy la misma. Les echo de menos.

—¿Les echas de menos?

—Sí, es extraño, me sentí como una más de la familia, el caso es que acaba de llamarme Mel...

—Ajá —asiente perplejo pero comprensivo.

—Jake está en coma.

—¿Jake? ¿Qué le ha ocurrido?

—No lo sé, no me lo contó, algo relacionado con el Santuario, estaba muy conmocionada, apenas pudimos hablar. El caso es que estoy preocupada, Joan debe estar muy mal y siento una necesidad muy grande de visitarlos. Sé que es extraño. No pretendo que lo entiendas, pero necesitaba decírtelo.

—No sé, no sé qué te dio esa familia, pero no eres la misma.

—Ya y lo siento. Siento que no te guste.

—No se trata de si me gusta o no, se trata de que es extraño.

—Imagino...

—No tienes que pedirme permiso, Flor. Sabes que apoyo tus decisiones, incluso las más insensatas.

—¿Crees que es insensato?

—Creo que hay algo que no me cuentas. Eso es todo.

—No es eso, Roy, es solo que...

—Es Jake, ¿verdad?

Siento un escalofrío y me doy cuenta de que no puedo seguir mintiéndole.

—Sí... La verdad es que es todo muy confuso. Nos hicimos muy amigos, me enseñó muchas cosas; de hecho, me enseñó todo lo que sé sobre el veganismo. Me marcó. No pretendo que me entiendas, ni excusarme. Es solo eso, le cogí cariño y estoy preocupada.

Su silencio me aterra.

—¿No dices nada?

—¿Te crees que soy tonto, Flor?

Ahora soy yo la que se queda callada.

—Haz lo que tengas que hacer, aclárate las dudas y haz que vuelva la Flor de siempre, por favor.

—Roy...

—No hace falta que me des explicaciones, sé que solo es una confusión, o eso quiero pensar. Cuéntame qué piensas hacer para saber dónde estás.

—Roy, te quiero... De verdad, gracias.

—No me las des, solo regresa.

—Lo haré.

—Te quiero... —Suena triste y quisiera corresponderle pero ahora mismo no me siento con fuerzas.

—Gracias...

Cuelgo y siento como si me hubiera sacado un peso de encima. Quizá he sido egoísta, quizá se lo he contado para librarme de la culpa. No lo sé. Pero me ayuda su reacción y se lo agradezco de veras.

Reviso el correo y al ver que Mel no ha vuelto a escribir, decido que lo mejor será comprar un billete. No sé qué le diré a Mel, pero necesito aclararme. La boda es ya, Jake está en coma y Roy no merece tantas dudas. Compro el primer vuelo directo a Tennessee para dentro de dos días y salgo a dar un paseo. Necesito despejarme. Tengo dos días para pensar qué haré y diré una vez llegue ahí.

Suena el teléfono. «Tiene un mensaje nuevo.» Cojo el móvil rápidamente y descubro que es Mel: «El número de Joan, 5557909, por aquí sin novedades. Gracias por preocuparte».

Marco el teléfono sin contestar siquiera a Mel. Tras tres tonos eternos de llamada, Joan descuelga el teléfono y nos saludamos.

181

—¡Oh, querida! ¿Cómo estás?

—Bien, Mel me llamó. Dios mío, ¿qué ha ocurrido?

—No queríamos preocuparte pero le pedí a Mel que te llamara, imaginé que preferirías saberlo.

—Cuéntame, por favor, me estás asustando.

—No, tranquila. Jake está estable.

—Gracias a Dios. —Suspiro aliviada.

—Me lo contó todo, sobre ti, sobre la semana que pasaste aquí. La verdad es que cuando te fuiste se quedó muy triste. Como si le faltara algo. Se centró en los rescates de unos terneros y, tras la negativa de sus dueños, Jake no quiso dejarlo ahí. Era un caso de maltrato serio e imagino que la frustración de Jake por ti y por los animales le jugó una mala pasada.

»Una madrugada salió hacia el establo donde estaban los terneros y los liberó. No solo a ellos sino a todos los animales de la granja, y luego se encargó de quemar los comederos y bebederos. Cosa que vale un dineral y que no iba a salirle gratis. Los dueños se presentaron en el Santuario el mismo día amenazándonos y Jake les dijo dónde vivía. Les retó. Trataba de dejar el Santuario aparte y lo logró. Lo pagaron con él. Entraron en su casa, parece que solo pretendían asustarle pero él estaba dentro y creemos que les plantó cara. Imaginamos que se pelearon. Tiene varios rasguños y un golpe en la cabeza que lo dejó inconsciente.

»Sigue en coma inducido para controlar la hemorragia interna. Los médicos han dicho que está estable, que en un par de días despertará. Tengo miedo, Flor. Esto es muy difícil, los animales, nuestro proyecto, a veces creo que no fue una buena idea. Jake necesita paz, alguien que le sepa frenar. Mel se enfurece y aun le provoca más. La pobre está pasando muy malos momentos. Me tiene preocupada, sé que tiene miedo. Ella no entiende a Jake, y yo me pongo en el lugar de ella. No tiene que ser fácil.

—Joan, estaba muy asustada. Estoy realmente confundida. He comprado un billete pero no sé muy bien cómo presentarme ahí, con qué pretexto. ¿Qué va a pensar Mel?

—Mel pensará que eres muy considerada y que te hemos tratado muy bien. No te preocupes, hija, no estás haciendo nada malo. Sois amigos, es normal.

Amigos, sí… Veo que Jake no le ha contado lo que pasó en la avioneta, mejor.

—Sí, pero es extraño.

—¿Y qué no lo es? Le diré que te he invitado a venir. Aquí estamos.

—Gracias, Joan.

—No me las des. Un fuerte abrazo, guardo tu número, para contarte cualquier novedad.

—De acuerdo, estate tranquila, todo saldrá bien.

—Te queremos. Cuídate.

—Hasta pronto.

Tras colgar me doy cuenta de que no es el mejor momento para lo que voy a hacer, pero es ahora o nunca. Llamo a la abuela para proponerle una locura y tras media hora de conversación accede a viajar conmigo. Sé que es muy arriesgado, demasiados frentes abiertos, pero en la vida no existen los momentos oportunos. Sé que Joan y la abuela serán muy felices al verse, y sobre todo al saber las coincidencias que han unido nuestras vidas. En cierto modo, es la excusa perfecta para que Mel no sospeche que voy por Jake, y a su vez, Joan merece una alegría.

24

—*A*buela, llegaremos tarde.

184 —Ya voy, hija mía, ¡ya voy! —Corre de habitación en habitación comprobando que todo está ordenado y las puertas cerradas.

—Nadie vendrá a ver tu casa mientras estás fuera —bromeo—. ¡Oh! Pero qué guapísima te has puesto.

—Me doy cuenta de que va más maquillada de lo habitual y lleva su mejor traje.

—Gracias, cielo, imagínate que me reconoce alguien. ¡Qué emoción! He de estar bien guapa.

Sé que bromea, con esa inocencia que solo tienen los ancianos y los niños. No sabe cuánta razón lleva, no sabe que va a reencontrarse con el que fue su primer amor y su mejor amiga.

—Estoy tan emocionada… Jamás pensé que volvería allí, no he dormido ni una hora desde que supe que ibas a llevarme. Nunca podré agradecértelo.

—No tienes nada que agradecerme. Soy yo la que te agradece que me hayas abierto tu corazón.

Me sonríe y me acaricia la cara.

—Vamos, bajemos, que el taxi lleva quince minutos esperando.

—¡Voy voy! Va a darme algo antes de llegar —dice realmente nerviosa.

Subimos al taxi y aprovecho para llamar a Mel y a Joan. Le cuento a Joan que finalmente he decidido ir y a Mel que tengo una sorpresa para animar a Joan. No me preocupo por qué pensará, ya tendré tiempo de hacerlo una vez llegue ahí.

Joan me ha invitado a quedarme en su casa y no he podido rechazar la oferta. Soy consciente de que solo quedan tres semanas para la boda e imagino que será mi última oportunidad para ver a Jake.

Llegamos al aeropuerto, está a tope de gente, estamos casi dos horas haciendo cola para embarcar. Decido sacar el portátil y escribir un email a Roy. No me siento con fuerzas para llamarle. No se merece nada de lo que está ocurriendo y no sé cómo afrontarlo. Le cuento con calma el descubrimiento de la abuela, que ella no sabe nada, que es una sorpresa y que aprovecharé para darles ánimos a Mel y a su familia. Intento sonar convincente y serena. Me despido con un «Te quiero» sincero y un «Nos vemos muy pronto».

Le echo de menos, echo de menos darle un fuerte abrazo y dormir en sus brazos. Hace ya muchos días que no tenemos un momento íntimo de calidad y empiezo a echarlo en falta.

—Última llamada para el vuelo a Chattanooga, Tennessee.

—Abuela, ya estamos a punto de entrar y poner rumbo a tus recuerdos.

Me mira ilusionada y me da un beso.

—Gracias, cariño. Eres la mejor.

Embarcamos y tras diez horas de vuelo aterrizamos en Chattanooga. La cuarta ciudad más grande de todo el estado de Tennessee. La más cercana a Wears Valley. El corazón se me acelera al pensar lo cerca que estoy de Jake. Sé que él no espera mi visita. Ni siquiera sé cuándo despertará. Su reacción me da un poco de miedo. No quiero ocasionarle problemas. De no haber sido por sus mensajes, no me hubiera atrevido a venir.

—Mira, cariño, el color del cielo es diferente —me señala mi abuela entusiasmada mientras salimos del aeropuerto en busca de un taxi.

Me echo a reír.

—¡Uy, sí, abuela! Es de color rosa —bromeo.

—Cállate, niña —me contesta bromeando.

Llamo a Joan mientras esperamos el taxi.

—Hola, querida, ¿Cómo ha ido el vuelo?, ¿estás por aquí ya? —Joan no puede evitar comportarse siempre con ese halo de protección y familiaridad.

—Sí, ya hemos llegado.

—¿Hemos? ¿Has venido con tu marido?

—No tengo marido, aún. He venido con mi abuela. Tenía ganas de que viera todo esto. ¿Cómo estáis?

—Oh, fantástico. Qué ganas de conocerla, pues.

Sonrío para mis adentros sabiendo que lo que va a ocurrir en unos instantes cuando se reencuentren será increíble.

—Mel se acaba de ir a trabajar, hoy hace doble turno, así que solo estamos yo y Robert. Venid aquí, Jake acaba de despertar hace unas horas, ahora duerme. Pero se alegrará de verte, seguro. Hoy es un día tranquilo.

—Estupendo, cogemos un taxi ahora mismo, te aviso cuando esté cerca.

—De acuerdo, cielo, aquí estamos.

Después de esperar casi media hora logramos coger un

taxi. Le indico al conductor dónde se encuentra el hospital y trato de relajarme. Nunca en mi vida me había sentido tan perdida. Estoy completamente bloqueada. Pienso incluso en que mi reacción al saber que Jake ha despertado ha sido del todo inapropiada. La frialdad mostrada, el tono de fotógrafa expeditiva, la mala chica de acción paralizada por un millón de dudas. ¿Es correcta toda esta locura? Pero miro a mi abuela, los ojos le brillan como nunca y me doy cuenta de que sí, sí lo es.

—¿Estás bien? —Apoyo mi mano en la suya. Aparta la vista de la ventanilla y me mira con los ojos brillantes—. Pero ¿qué te pasa? ¿Te has emocionado?

—No viviré lo suficiente como para agradecértelo.

—Y dale. No digas bobadas, soy yo la que no podrá agradecerte nunca la buena que eres.

La abuela aprieta mi mano y me confiesa:

—Tengo el corazón que va a salirme por la boca. —Sonríe—. Lo recuerdo todo. El primer día que llegamos, el camino hasta el que iba a ser nuestro nuevo hogar, a Robert, a Joan… ¿Sabes? Prefiero no saber nada de ellos antes que enterarme de que les ha podido pasar algo.

No me aguanto las ganas de contárselo todo, pero por lo poquito que queda, prefiero darle la sorpresa.

—Abuela, yo creo que ellos están bien. Quién sabe, quizá se casaron y tuvieron hijos.

—Ojalá, nada me haría más feliz. Pero bueno, no he venido a buscarlos a ellos, aunque en el fondo de mi corazón sé que me devolvería la alegría saber que han sido felices, que no les destrocé la vida. Es una espinita que nunca me he sacado.

—No pienses en ello ahora, disfruta del paisaje y del cielo de color rosa —me burlo mientras le doy un beso en la mano.

—No seas mala. Cielo santo, qué bien huele —dice

mientras baja la ventanilla y su cara se transforma en la de una niña pequeña al ver a Papá Noel por primera vez—. ¿Estás preparada?

—¿Se puede estar preparada para algo así? —le contesto honestamente.

—Pues no lo sé, hija, la verdad. ¿Sabes qué creo?

—¿Qué?

—Que por un día, deberías seguir a tu corazón.

—Señoritas, disculpen, ya hemos llegado. —La voz amable del taxista nos interrumpe y siento un vuelco en el estómago.

Ya no hay marcha atrás. Por suerte, Mel no está hoy y siento que será mucho más fácil.

Bajamos del taxi, miro a la abuela, le arreglo el jersey y le doy la mano. Sé que no va a ser un momento fácil para ninguno de nosotros cinco. Saco el móvil para llamar a Joan cuando veo un sms. Es de Joan.

Acaban de llamarme unos huéspedes que han llegado antes de tiempo, he tenido que ir corriendo a abrirles, ya que el abuelo no estaba en casa. Te veo más tarde, Robert está con Jake, habitación 307. Puedes subir directamente. Te quiero.

Vaya, qué pena que Joan no esté, pensé que sería más fácil que la abuela se reencontrara con los dos a la vez. Ahora no sé lo que puede pasar si ella y Robert se encuentran a solas. En cierto modo y por un instante, me doy cuenta de que la abuela y yo estamos en la misma situación pero separadas por dos generaciones. Ella, a punto de reencontrarse con un viejo amor que está casado con otra, y yo enamorada de uno que va a hacerlo en tres semanas. Todo esto es una completa locura pero no puedo evitar sentirme viva. Sé que estoy a escasos metros de Jake, han pasado dos meses y no ha habido un solo minuto que no me haya acordado de él y de lo terriblemente mal que me siento por no haber atendido sus mails.

—Abuela, ¿te importa si subo y me esperas aquí? Solo voy a decirle al padre de Jake que he llegado y bajo.

—No, tranquila. Voy a dar una vuelta. Ve, no te preocupes por mí, llámame cuando estés. Voy a pasear por ese parque —dice señalando el jardín del hospital.

—De acuerdo.

Creo que su reencuentro puede esperar, es mejor que suba y hable con Robert. Doy un abrazo a la abuela y entro.

189

25

*E*l hospital es enorme, me dirijo a los ascensores con la sensación de que el mundo entero gira en torno a mí, la sangre me golpea en el pecho y las piernas empiezan a temblarme. Estoy nerviosa. No puedo disimularlo. Aprieto el botón de la planta tres y mientras el ascensor asciende intento pensar una buena frase para romper el hielo. En cuanto se abren las puertas, la figura de Robert me sorprende.

—¡Hombre! Hola, Flor, qué casualidad. Iba a bajar para esperarte abajo. Jake aún duerme y no quería molestarle.

—Buenas tardes, Robert, gracias. Ya estoy aquí —contesto mientras salgo del ascensor.

—¿Cómo ha ido el vuelo?

—Bien, largo y pesado, pero bien. ¿Puedo ir a…?

—Por supuesto. Voy a la cafetería a tomar un café, así estáis más tranquilos. —Me mira y me sonríe, una sonrisa nostálgica.

Y de algún modo, sé que lo sabe todo, que Joan se lo ha explicado, y sé, ahora más que nunca, por qué al verme le recordé a alguien. Ahora que conozco toda la historia, intento imaginarlo con la abuela de jóvenes.

—¿Puedo darte un abrazo? —me sale del alma.

—Por supuesto, mujer. —Robert me abraza y siento como si sus brazos abrazaran a la abuela, sé que pronto lo harán.

Quizá todo tenga sentido o quizá no. Sea como sea, ha llegado el momento de afrontarlo.

—Está en la habitación 307. Se alegrará de que le despierte una cara familiar.

Robert coge el ascensor y yo empiezo a caminar por el pasillo, intento tragar saliva a cada paso que doy. No es fácil. Con suerte, aún estará dormido.

307. Me acerco a la puerta. No sé cómo me tengo en pie. Está entreabierta. La empujo con suavidad y alcanzo a ver los pies de la cama. La habitación es solo para él, está en penumbra. Entro y ajusto con cuidado la puerta a mis espaldas. Ahí está Jake, dormido, me siento aliviada al verlo bien. Me acerco hasta la silla que hay al lado de la cama y me siento despacio. No quiero despertarlo todavía. Tiene la cara algo magullada, pero se nota que ya han pasado varios días desde el incidente. Miro su mano, sus dedos, su piel. No puedo reprimir tocarlo. Poso mi mano sobre la suya, se la beso con suavidad, y cuando mis labios entran en contacto con su piel un llanto silencioso estalla dentro de mí, no puedo evitar quedarme con mis labios apoyados en su mano y los ojos inundados en lágrimas mudas. Sin apenas hacer ruido ni al respirar me quedo así un buen rato.

Está a salvo. Es Jake. Le amo. Estoy a su lado una vez más y sé que es la última vez. Ya no habrá más excusas. Se acerca su gran día. Respiro profundamente, vuelvo a besarlo dulcemente y entonces mueve levemente la mano. Levanto la mirada despacio, en esa habitación oscura con olor a lavanda, y me encuentro con la mirada intensa de

Jake. Sus ojos están inundados de lágrimas también y nos quedamos en silencio, en medio de esa oscuridad, sus ojos y los míos. Las lágrimas caen mudas y mientras intento reprimirme, siento que no necesito más. Esa mirada, ese silencio lo dicen todo.

Tras dos minutos eternos me acerco para abrazarlo y siento cómo me acoge suavemente y sin vacilar.

—No puedo creer que estés aquí —susurra en mi oído—. No puedo creerlo.

Aún abrazados, un cosquilleo me recorre el cuerpo.

—Sshh... —le suplico que no hable—. Perdóname.

—No hay nada que perdonar —me dice mientras me separo un poco de sus brazos para verlo mejor y nuestras caras se quedan a escasos centímetros.

Oigo cómo suspira y cierro los ojos por un instante mientras me muerdo el labio inferior para intentar controlar todo lo que le diría.

—No he dejado de pensar en ti. —Su voz es tan dulce...

—Jake, yo... No había visto tus mails, de haberlos leído...

—No importa —me interrumpe.

—¿Qué ha pasado? Cuéntamelo —le suplico.

—Es una larga historia, te la cuento luego. Ahora déjame disfrutar de este momento.

Vuelve a estrecharme en sus brazos y sus labios se posan en mi hombro dejando un dulce y suave beso. La penumbra de la habitación hace que me sienta cómoda y a salvo. Me siento a su lado en la cama, su abrazo me invita a tumbarme, me acurruco en su costado y apoyo mi cabeza en su pecho. Su mano acaricia mi pelo, cierro los ojos, suspiro y por un momento me olvido del mundo. De lo inoportuno que es tumbarme en la cama de un hombre que va a casarse con otra mujer, me olvido de que alguien pueda entrar y nos vea, me olvido de Roy, de Mel, de la abuela y de todo lo que quede lejos del pecho de Jake.

Tras diez minutos de silencio la voz de Jake me arranca de la nube en la que estoy:

—Gracias.

—¿Por qué?

—Por atreverte a venir, no habrá sido una decisión fácil.

—No he venido sola.

—¿Roy? —pregunta extrañado.

—No no. He venido con mi abuela. Verás, lo mío sí que es una larga historia.

—Cuéntamela.

—Es de locos, Jake...

—¿Por qué? No lo entiendo.

—¿Alguna vez tu madre te ha hablado de su juventud, de su amiga española?

—Sí, claro, siempre me han hablado de ella y de lo especial que es para los dos.

—Verás, el caso es que ella es... Bueno, ella es mi abuela.

—¿Cómo? No lo entiendo —Me mira con cara extraña.

Me incorporo para explicárselo mejor:

—Ella, la mujer de la que tu padre estaba enamorado, la mejor amiga de tu madre, la española que volvió a su país y los abandonó es mi abuela.

—Pero ¿cómo lo has sabido? ¡Es muy fuerte! Pero ¿ella está aquí? Esto... ¿cómo es posible? Ellos temían que hubiera fallecido...

—No lo sé, Jake. Tu madre me contó la historia y mi abuela, al saber que viajaba a Tennessee por trabajo, me contó la suya. Y adivina.

—Es la misma historia —adivina Jake con los ojos como platos.

193

—Sí, la misma. El mayor deseo de mi abuela es saber que ellos fueron felices a pesar del daño que les hizo. Pero está convencida de que no fue así, que les arruinó la vida.

—Flor, ¿te das cuenta de lo que significa todo esto?

—Mmm… —Dudo por un momento—. No, la verdad es que no entiendo nada.

—Flor, tu abuela, mis padres, bueno, ya sabes la historia. Se enamoraron y fruto de ello nací yo, y naciste tú. Todas sus decisiones nos han traído aquí. Si ella se hubiera quedado con mi padre, nada de esto habría ocurrido.

El mismo pensamiento que tuve yo.

—Jake, yo…

—Pero, tu abuela ¿qué edad tiene? —me interrumpe algo intrigado.

—Es joven, apenas tiene 66 años, tuvo a mi madre muy pronto. Justo un año después de volver de Tennessee conoció a mi abuelo y tuvieron a mi madre, y mi madre me tuvo a mí con 22 años. Tengo entendido que Joan te tuvo muchos años después.

—Es cierto, mi madre me tuvo con casi 45. Les costó mucho dar el paso de estar juntos, y más aún de tenerme a mí.

—Todo es tan extraño…

—Flor, perdona, pero ¿has dicho que tu abuela está aquí?

—Sí. —Me río de su cara de desconcierto.

—Pero ¿lo sabe mi madre? ¿Robert?

—No, aún no. Tengo miedo, no sé cómo pueden reaccionar.

—Cielo santo, fotógrafa. Eres una caja de sorpresas. —Me sonríe algo adolorido.

—¿Estás bien? —le pregunto preocupada pero feliz.

—Ahora sí —contesta con una sonrisa y me acaricia la mejilla—. ¿Por qué no vas a casa y hablas con mi madre, bueno, provocas el gran encuentro? No me gusta que me veas así. ¿Vas a quedarte?

—Sí, nos quedaremos unos días.

—Mañana me dan el alta. Seguro que encontraremos un momento para hablar y prometo que te lo contaré todo.

—Sí, por favor, te he echado de menos.

—No te creo. —Me mira vacilando.

—Eres un tonto. —Le doy un golpe suave en el hombro.

—¡Aaahhh! —chilla en broma—. ¡Socorro, que alguien me ayude! —sigue bromeando.

Estallamos a reír al unísono y no puedo evitar sentir que es terriblemente atractivo. Con la barba un pelín más larga de lo habitual, sus ojos oscuros y su pelo despeinado.

—Vete, no quiero que me veas así.

—Prométeme que no vas a meterte en ningún lío.

—Lo intentaré. Aunque ahora que lo pienso, me debes un rescate. —Sonríe con picardía. Se le ve contento.

—Cierto… Pero no me apetece que sea ahora, demasiadas emociones juntas. ¿Cómo crees que debo decírselo? No sé cómo hacerlo…

—Flor, solo ve a casa, llama a la puerta y deja que ellos hagan el resto.

—Buf… —Suspiro realmente preocupada.

—Todo saldrá bien.

—Sí, eso espero. ¿Te vemos mañana, pues?

—Sí, iré directo al Santuario. Me muero por conocer a tu entrañable abuelita. —Me dedica una mirada tierna y me besa la mano—. Vete.

Le doy un abrazo rápido pero intenso y me levanto de la cama. Por una vez estoy haciendo lo correcto, al menos estoy haciendo lo que siento.

—Te veo pronto —me despido con una sonrisa y cierro la puerta.

195

Mientras me dirijo a la salida cojo el teléfono y marco el número de la abuela. Justo entonces la veo sentada en el vestíbulo.

—¿Qué haces aquí?

—Esperando para hacerme una liposucción. —Se ríe—. Pues esperarte, hija. ¿Cómo ha ido el reencuentro?

—Genial, pensé que sería más complicado, estábamos solos y todo ha sido muy natural.

—¿Cómo te sientes?

—La verdad, ahora de maravilla, no pienso en nada más. Voy a tomarme estos días para mí y punto.

—Bien hecho —me contesta orgullosa mientras nos dirigimos a buscar un taxi.

—Abuela, hay algo que debo contarte…

—¿Más emociones fuertes?

—La más fuerte de toda tu vida.

196 —Pero ¿qué dices?

—Sí, tengo una sorpresa para ti.

—¿Bromeas?

—¿Crees que vas a poder esperar veinte minutos?

—Hombre, si es la mejor de toda mi vida, llevo 66 años esperando, no me pasará nada por media horita.

Nos reímos las dos y nos dirigimos al taxi.

26

$\mathcal{M}$ientras el taxista se dirige a casa de Joan, la abuela mira con admiración por la ventana y yo intento no pen- sar en Roy, que aún no tiene ni idea de que al final estoy aquí. Ni en Syl ni en el trabajo. Veo a lo lejos las Smoky Mountains y respiro hondo.

—Mira, abuela, ¿ves esa casita de ahí? Es la de la familia de Jake.

—Dios santo, estamos tan cerca del pueblecito en el que viví... ¿Mañana podríamos ir a dar un paseo por ahí?

—Por supuesto, lo que tú quieras.

—Está todo tal cual lo recordaba. Esta es la mejor sorpresa de mi vida, me siento tan feliz... Jamás creí que volvería. —Me mira con los ojos iluminados—. Gracias, cielo. Me apetece tanto pasear por aquí.

—Disfruta. Hemos llegado.

El taxista nos ayuda a bajar las maletas, la abuela le da bastante propina, se nota que está contenta, y yo trato de congelar este momento. Me siento feliz por ella, no puedo imaginar lo que está a punto de vivir. Nos acerca-

mos a la puerta, toco el timbre, miro a la abuela y Joan
abre la puerta.

—¡Querida! —Me mira sonriente y entonces repara
en la abuela y se queda en *shock*.

Abre los ojos como platos, niega con la cabeza, como si
no pudiera creerlo, y vuelve a mirarme.

—Pero... Flor...

La abuela tiene la misma cara que Joan, los ojos abiertos de par en par. Suelta la maleta de golpe y se lleva la
mano a la boca como reprimiendo llorar o chillar o lo que
sea que esté sintiendo en este momento.

—Sí, no sabía cómo decíroslo, lo descubrí apenas llegué a España. Abuela —le digo con un tono muy suave—,
Joan, tu Joan, es la madre de Jake. Y sí, Joan, esta es mi
abuela.

A Joan se le saltan las lágrimas y, aún inmóviles las
dos, balbucea:

—Pero ¿cómo es posible? —Se abalanza sobre la abuela
y ambas se abrazan llorando.

—Cielo santo, cuánto tiempo, yo creía... —dice la
abuela entre sollozos.

Joan se separa un momento, le acaricia la cara.

—¿Dónde has estado todo este tiempo? Pensábamos
que..., ¿quién sabe? Nunca más supimos de ti. No ha habido un solo día que no haya pensado en ti. —Vuelve a
abrazarla y la abuela aún entre lágrimas intenta hablar:

—Lo siento, lo siento mucho... Jamás quise hacerte
daño.

—No digas eso, es un milagro. —Aún abrazando a la
abuela, Joan me sonríe para darme las gracias.

—Tienes una nieta preciosa. Tienes tanto que contarme... Aún no puedo creerlo. Flor es tan especial para
mí, lo fue desde el primer día. Ahora entiendo por qué.
Eres tú. Este es el mejor regalo del mundo —le dice a la

abuela cogiéndola de las manos. La abuela aún sin habla y yo con los ojos rojos de la emoción, soy incapaz de pronunciar palabra—. Estás en tu casa. Estáis, bueno, Flor ya lo sabe. Pasad, pasad.

—Es todo tan bonito. —La abuela recorre la casa con la mirada aún cogida de la mano de su gran amiga Joan.

Me detengo y observo cómo se adentran en la casa. Cojo las maletas y las sigo.

—Dime que has sido feliz, Joan, por favor, es lo único que anhelo.

—He tenido la mejor vida que hubiera podido tener. Me has faltado tú. Siempre. Pero en cierto modo siempre has estado presente. —La abuela vuelve a abrazarla, pero esta vez con un abrazo fugaz—. ¿Y tú? Bueno, ya veo que también has tenido tu familia y…

Las interrumpo un momento:

—Joan, lo siento, yo quería darte una sorpresa, por eso no te había dicho nada.

—No seas boba. Es increíble, cariño —me dice emocionada.

—Pero la abuela aún no sabe, bueno, no sabe… —trato de ayudarlas a hablar de Robert.

—Oh, Dios bendito, entiendo —dice Joan llevándose una mano a la cabeza.

—¿Qué ocurre? —pregunta la abuela.

—Bueno, verás… Esto es un poco difícil de contar… —Joan traga saliva y la cara de la abuela empalidece.

—¿Qué ocurre? ¿Es Robert? —Su voz cambia, se la ve preocupada y triste.

—Abuela, no es lo que tú crees.

Sé que está imaginando lo peor. Trato de calmarla mientras le doy tiempo a Joan para contárselo.

—¡No! O sea sí. Es Robert, pero está bien, tranquila.

—¡Oh! ¡Me habéis asustado!

—Robert es el padre de Jake —le dice Joan con una mirada temerosa.

En cierto modo puedo intuir cómo le asusta confesarle a su tan añorada amiga que al final se casó con su primer amor.

—¡Oh! ¡Es increíble! —La cara de la abuela es un poema, una sonrisa de oreja a oreja se dibuja en su rostro. Agarra de las manos a Joan, mira al cielo y suelta un suspiro—. Gracias a Dios. —Sus ojos transmiten felicidad en estado puro, nadie podría negarlo—. Me alegro tanto. Es la mejor noticia que podrías darme, Joan. Yo… Dios mío, tantas veces recé para que esto ocurriera.

—¿De veras? —Joan está un poco descolocada, imagino que esperaba nostalgia de aquella niña que se enamoró del que hoy en día es su marido, pero mi abuela muestra tanto entusiasmo que incluso Joan se echa a reír—. Menudo peso me acabo de quitar de encima. Desde el primer momento que te he visto he temido decírtelo por si iba a dolerte.

—¿Dolerme? —contesta la abuela algo arrepentida—. Creo que te debo una larga explicación…

—Sí, la verdad necesito saber qué ocurrió. ¿Por qué nunca volviste a ponerte en contacto?

—Chicas —interrumpo de nuevo—. ¿Por qué no os sentáis y habláis tranquilamente? —Les señalo el sofá como si estuvieran en mi casa, en cierto modo ese lugar me hace sentir como si lo fuese—. Joan, si me das permiso, voy a preparar un poco de té. Voy a tomarme lo de que estoy en mi casa al pie de la letra, y mientras os ponéis al día, voy a traeros algo de beber.

—Claro que sí, querida. Haz lo que quieras. —Vuelve a dirigirse a la abuela—: Cuéntamelo, por favor.

—Verás, ¿recuerdas aquel diario que siempre llevabas contigo? —Joan asiente con la cabeza—. Un día, no recuerdo muy bien cuándo ni cómo, yo ya sabía que iba a regresar a España y no pude evitar ojearlo. Cuando leí tus sentimientos por Robert, palabra por palabra, no podía creerlo. Mi mejor amiga enamorada de él, sentí rabia de que no me lo hubieras contado, éramos como hermanas, te quería como a nadie y me habías estado ocultando algo tan importante para ti durante muchos años.

—Pero ¿cómo iba a decirte algo así? —la interrumpe Joan con los ojos en llamas.

—Cuando acabé de leerlo me di cuenta de que todos los sentimientos que describías en ese diario no tenían nada que ver con lo que yo sentía por Robert. Lo tuyo era amor de verdad, lo mío no sé, al leer eso me di cuenta de que era diferente, que me gustaba, le tenía cariño, pero no era ni de lejos aquello tan grande e intenso que tú escribías. Así que no pude evitarlo. Desde ese día todo cambió. Dejé de ver a Robert como mi novio y lo pasé a ver como el causante de tu dolor. De tu silencio.

Vuelvo al salón y veo cómo Joan llora sentada en el sofá frente a la abuela mientras ella la coge de las manos.

—No tenía ni idea, yo creía que te había pasado algo al llegar a España. Jamás hubiera imaginado que dejaras de escribirnos aposta.

—Perdóname, pero sentí que era el único modo de que rehicierais vuestras vidas sin mí y lo más importante, que lo hicierais el uno con el otro. Ver que finalmente ocurrió me hace sentir tan feliz... No ha habido un solo día que no me haya preguntado si fue lo correcto. Cuánto os he echado de menos... Nunca le hablé a nadie de vosotros, os enterré en mi pecho y rehíce mi vida.

Yo y Joan la miramos con la misma cara de admiración.

—Al poco tiempo conocí a mi marido, que en paz descanse. Y me enamoré como se enamoran los adultos, por última vez. Fue el hombre de mi vida y me hizo la mujer más feliz del mundo. Pero nunca os olvidé.

201

—Con los años podrías haberme escrito… —le suplica Joan como si aún pudiera cambiar el pasado.

—Lo sé, pero tuve miedo. Nunca supe cómo pedirte perdón por haberte dejado sola. Por no haberte vuelto a escribir.

—No importa —dice Joan secándose las lágrimas—. El tiempo es sabio y me ha devuelto a mi gran amiga. No puedo creer que Flor sea tu nieta. —Me mira con cariño—. Es algo increíble. Es tan especial…

—No entiendo qué tengo de tan especial —le digo.

Joan me sonríe como si hubiera dicho una tontería y vuelve a dirigirse a su amiga:

—Robert se va a alegrar mucho de saber que estás aquí. Ha ido al pueblo a por unas herramientas. Tiene que volver en breve.

Mi abuela sonríe y sé que está nerviosa. Al fin y al cabo, no deja de ser su primer amor.

La abuela y Joan se pasan una hora hablando sobre sus vidas, Joan le cuenta la historia del Santuario, del nacimiento de Jake, y la abuela le habla de mí y mi madre, mi hermano y toda su vida en España. Yo las miro con cara de niña pequeña y por un momento parece que no esté. Hablan sin parar. Joan le cuenta la inminente boda de Jake, los preparativos, cómo fue la semana que yo estuve aquí y acaban hablando de mí. Una vez más como si yo no estuviera presente.

—Jake tiene sentimientos verdaderos por Flor y tengo un poco de miedo —confiesa Joan.

—Ya me lo ha contado… No sé muy bien qué decir.

—No digáis nada, estoy aquí, ¿recordáis? —interrumpo algo avergonzada. Aunque en realidad no me molesta.

Suena la puerta de entrada.

—Ese debe de ser Robert. ¿Estás preparada? —Joan le sonríe a la abuela y le tiende la mano.

—Sí, claro.

La puerta del salón se abre y la imagen de Robert nos sorprende a todas. En cuanto ve a la abuela se le cae de las manos el paquete que sostiene y se queda unos segundos petrificado. Joan trata de romper el hielo. Se levanta y se acerca a Robert recogiendo el paquete del suelo.

—Cariño, ya lo recojo yo —dice mientras se agacha.

—Hola —pronuncia tímida la abuela levantándose del sofá y acercándose a ellos.

—Robert, ella es Rosa, la abuela de Flor y sí, es ella. —La voz de Joan suena dulce como de costumbre y Robert sigue sin pronunciar palabra.

La aludida se acerca y sin dudarlo lo abraza cálidamente. Robert y la abuela mantienen el abrazo y parece que eso le hace retomar el aliento.

—Menuda sorpresa. No creíamos que fuéramos a volver a verte. Han pasado tantos años... —Robert, aún emocionado, mira a Joan—. ¿Tú sabías algo de esto?

—No, Robert, ni siquiera yo lo sabía —le respondo por ella honestamente—. Todo ha sido una coincidencia.

—No existen las coincidencias. —Sonríe y abraza a la abuela y a Joan a la vez.

—Voy a dejar el equipaje en la habitación y a tomar un baño. Os dejo, que seguro tenéis mucho de qué hablar —les anuncio a todos.

—Gracias, cariño. Si no te importa, me quedo aquí con ellos.

—Abuela, este es tu viaje, no te preocupes por mí.

Le doy un beso en la frente y les dedico una mirada tierna a Robert y Joan, cojo mis cosas y me dirijo a la habitación.

La casa mantiene su peculiar olor a incienso y pan recién horneado. Dejo las maletas encima de la mesa de la habitación y me tumbo un rato deseando que sea mañana para poder hablar de todo con Jake.

203

La tarde transcurre tranquila, paseo por el Santuario, descanso un rato, contesto algún que otro correo y deshago el equipaje. La abuela se pasa toda la tarde con Joan y Robert y yo prefiero no molestar. Llamo a Mel y le explico mi descubrimiento sobre la historia de mi abuela, le cuento que he querido darle esta sorpresa a Joan para que se anime después de todo lo de Jake y que me encanta esta familia. Mel está más animada, me cuenta que mañana Jake vuelve a casa y que ya lo tiene todo listo para el gran día. La noto aliviada y, en cierto modo, me alegro por ella. Sé que no está pasando por un buen momento. Quedamos en tomarnos un café mañana y charlar un rato.

En la cena pasamos una velada estupenda todos juntos. La abuela, Joan, Robert, el abuelo Lonan y yo. La verdad es que las anécdotas de su juventud son entrañables y verlos tan felices contagia a cualquiera. Lonan recuerda las chiquilladas de los tres y se ríe como un niño. A mi abuela le brillan los ojos de un modo que no sabría explicar y yo, por un momento, como nunca desde hace meses, me siento tranquila y feliz.

27

*E*l gallo interrumpe mi sueño con su alegre canto, miro por la ventana y veo cómo empieza a salir el sol. La abuela aún duerme y decido bajar a preparar el desayuno con Joan. Me pongo un top blanco de ganchillo atado al cuello y unos tejanos Levis 501 desgastados y mal cortados que para mi gusto enseñan demasiado muslo. Me miro al espejo y me siento sexi. Me peino un poco y me pongo un poco de máscara de pestañas. Espero que Jake vuelva pronto a casa, tengo muchas ganas de verlo.

No hay nadie en la cocina y parece que tampoco en el resto de la casa. Imagino que habrán ido a recoger a Jake al hospital. Mel me comentó que trabajaba por la mañana y que podíamos vernos por la tarde. Abro los armarios en busca de inspiración y empiezo a preparar el desayuno.

Pan integral de semillas tostado con mermeladas caseras, una ensalada de frutas, zumo de pomelo recién exprimido y mi especialidad: una tarta de queso vegana que aprendí a hacer por internet hace un par de semanas. Joan tiene todos los ingredientes que cualquier amante de la cocina podría necesitar. Qué suerte. Cojo el portátil de mi habitación y me dispongo a escribir a Roy mientras espero a los demás para el desayuno.

«Hola, cariño.»

Borro.

Hola, Roy, ¿cómo estás?

Siento mucho todo lo que está pasando. Siento estar tan distante sin motivos aparentes y siento hacerte daño. Que no te escriba ni te llame no significa que no piense en ti. Estoy en Tennessee con mi abuela, es una larga historia. Ya te contaré.

En unos días vuelvo a casa, espero que tengamos oportunidad de hablar. Gracias por darme este tiempo.

Te mando un abrazo muy fuerte, estoy triste.

Te veo muy pronto,

Flor

Justo cuando termino de enviar el email oigo llegar un coche. Son ellos. Hago ver que estoy trabajando con el portátil para quitarle importancia al asunto.

—Hola —digo desde la cocina.

—Buenos días, Flor. Ahora mismo voy.

Oigo a Joan desde la puerta. Debe estar descargando cosas del coche. Y de repente Jake irrumpe en la cocina. Más guapo que nunca. Con una barba desaliñada, unos vaqueros negros desgastados, una camiseta gris de manga corta que marca a la perfección su cuerpo musculado pero sin quedarle ceñida y una gorra típica de jugador de béisbol. Aún tiene un par de moratones en los brazos y en la mandíbula. Pero este hombre es terriblemente atractivo incluso si le pasa un tanque por encima.

Me mira de arriba abajo. «Mierda, tendría que haber elegido unos vaqueros un poco más largos.» Y antes de pronunciar palabra suspira y sonríe con cara de pícaro. Mientras me mira los muslos.

—¿Qué? ¿De qué te ríes tanto? —le digo mientras me levanto para saludarlo.

—¿Esta es tu bienvenida? ¿Pretendes devolverme al hospital por una parada cardíaca? —me dice señalando mis minivaqueros, risueño y con su peculiar sentido del humor.

No lo veía así desde los primeros días, cuando llegué la otra vez. Le sonrío y me lanzo a abrazarlo. Me abraza y me da un beso tierno pero intenso en el cuello.

—Estás preciosa, Flor. Como siempre. Gracias por estar aquí.

—He preparado el desayuno —le digo mientras me separo de él y señalo la mesa.

—Mmm… Me muero de hambre. Nunca he probado tu comida. Veamos. —Me mira con esos ojos tan suyos, coge una rebanada de pan y se la lleva a la boca fingiendo que está comiendo el último bocado de su vida. Me hace reír.

—Eres un bobo.

—Y tú, una experta cocinera. Está riquísimo.

—Tenía ganas de prepararte algo. No tiene mucho mérito, todo es de tu madre, pero algo es algo.

Vuelve a abrazarme y esta vez me da un tierno beso en la cabeza antes de soltarme.

—Eres única. Gracias por venir, de veras. Ya me ha contado mi madre lo de tu abuela. Me alegro de que saliera tan bien, menudo momentazo. Gracias por hacerlo posible.

—Deja de darme las gracias por todo —bromeo dándole un empujoncito.

La imagen de mi abuela entrando por la puerta y Joan detrás nos interrumpe.

—¿Con que este es el famoso Jake? —suelta mi abuela sin cortarse un pelo.

—Gracias, abuela. —Sonrío avergonzada.

Joan, Jake y la abuela estallan a reír y Jake se dirige a ella, le coge la mano y le da un beso en ella.

—Un placer. Me han hablado mucho de usted toda mi vida. Quizá por eso siento que conozco a Flor desde siempre. Tiene usted una nieta única.

—Sí, hijo, gracias. Pero no me trates como si fuera un vejestorio. —Se ríen.

—Gracias por el desayuno, cariño —me dice Joan mientras se sienta a la mesa y coge un trocito de tarta.

—¿Os importa si Flor y yo nos vamos a dar un paseo? —interrumpe Jake con educación.

—Claro, Jake, voy a por mis cosas, ahora mismo bajo. —Miro a los demás de forma cómplice y me dirijo a la habitación.

Diez minutos más tarde ya estoy lista. Jake está acabando de desayunar.

—No nos esperéis para comer —le dice Jake a su madre.

Salimos y nos dirigimos a su ranchera.

—Voy a llevarte a un lugar —me dice—. ¿Preparada?

—Mientras no sea otro matadero —bromeo.

—Jamás. Hoy voy a hacerte reír.

Mientras arranca la camioneta y conduce, el deseo se apodera de mí. Tenerlo cerca y no poder hacer lo que siento es muy complicado. Pero voy a disfrutar del día sin pensar en nada más.

—Estamos yendo muy lejos —le digo tras una hora de viaje.

—Te llevo a casa.

—¿Cómo? —pregunto confusa.

—No quiero ser el único que se siente en casa. Quiero llevarte a un lugar que seguro te encantará.

Confió en él. Jake apoya su mano en mi muslo y un hormigueo me sacude el cuerpo. Apoyo la mía encima y seguimos el resto del viaje de la mano, con baladas country de fondo. Apenas hablamos, no hace falta.

Parece que estamos llegando a Nashville, después de tres horas y media. No sé qué se le habrá perdido aquí. Estoy impaciente. Saco la cámara que siempre llevo en el bolso y fotografío el retrovisor en el que se refleja la ciudad. Bonita imagen.

Aparcamos. Me dejo llevar.

—¿Te parece bien si damos un paseo?

—¿Me vas a llevar de compras?

—Ni loco.

Pasamos el día paseando por la ciudad, visitamos un par de museos, comemos en uno de los restaurantes vegetarianos de moda. Hablamos, reímos y nos olvidamos del resto. Como cualquier pareja. Nadie nos conoce y nos sentimos libres, cómodos y cómplices. Me cuenta lo ocurrido la semana pasada. El incidente con los de la granja. Querían colarse en su casa para rompérselo todo, como él había hecho en su granja. Al parecer, solo querían darle un susto pero por desgracia se lo encontraron a él dentro y tuvieron una pelea que desafortunadamente terminó con un mal empujón. Jake se golpeó la cabeza con un mueble y perdió el conocimiento. Los mismos atacantes, aterrados, llamaron a la ambulancia. Menos mal.

Por suerte, ya está solucionado. Jake denunció a esos hombres, que ya se encuentran donde deben estar. Con una multa impagable que los obligará a cerrar sus negocios e incluso a abandonar el pueblo. Parece que se han calmado los ánimos, la Policía intervino y lo hizo muy bien. Jake no tiene muchas ganas de hablar sobre eso, así que seguimos nuestro paseo por la ciudad, comemos helado y cuando empieza a caer el sol me pide que lo siga.

Quiere llevarme a otro lugar. Se me ha pasado el día volando. No quiero regresar.

Tras diez minutos cruzando la ciudad en la ranchera, entramos en el párking de lo que parece un rascacielos.

—Jake, ¿qué hacemos aquí?

—Tenía ganas de llevarte a tu mundo. A los rascacielos, al asfalto.

Lo miro con la boca abierta.

—No hacía falta... En tu casa me siento de maravilla.

—Ven conmigo.

—Me das miedo —miento.

—¿Miedo? Anda ya. —Se ríe con aires de satisfacción y me guía hasta el ascensor. Pulsa el botón 33—. Flor, solamente quiero que te sientas a gusto. Salir de mi zona de confort e ir a la tuya. Charlar tranquilamente en un lugar donde te sientas como en casa.

Aunque pienso que no hace falta, que a su lado me siento en casa estemos donde estemos, agradezco su gesto, el terrible esfuerzo que debe haber supuesto para él venir hasta aquí y el detalle de la sorpresa.

Las puertas se abren y accedemos a lo que parece el *hall* de una azotea. Jake saca una llave del bolsillo de su pantalón y abre la puerta de lo que evidentemente es la azotea del AT&T Building. El edificio más alto de todo el estado de Tennessee. No puedo creer lo que ven mis ojos. Es increíble. Me quedo con la boca abierta ante las increíbles vistas. Hace un día de verano soleado con una leve brisa que acaricia. El sol se está poniendo y la luz naranja típica del atardecer danza por encima de los edificios. La azotea es preciosa, llena de plantas como si fuera un jardín y con unos sofás tipo *chill out* pegados a la pared del abismo. Desde luego, no parece que estemos en medio de una gran ciudad sino más bien en el ático del paraíso. Esto parece un sueño.

—Pero... —balbuceo—. ¿Cómo has conseguido la llave de este lugar?

Caminamos hacia los sofás, aún perpleja ante un lugar tan bonito. Me invita a sentarme y me siento como en una película.

—Este edificio es propiedad de unos viejos amigos de mis padres. De pequeño, cuando viajábamos a la ciudad, solía venir aquí con su hijo. Es un buen amigo mío. Hoy está cerrado, es festivo aquí y a mí me apetecía hacer algo especial para ti.

—Jake, yo...

Me interrumpe:

—No digas nada, solo cierra los ojos.

—¿En serio?

—Sí, por favor, ciérralos.

Hago caso de inmediato: sentada a su lado, cierro los ojos. Me da la brisa en la cara, puedo oler su perfume, ese perfume que me cautivó hace apenas unos meses a kilómetros de aquí.

Siento los brazos de Jake rodeando mi cuerpo; me abraza por detrás y me susurra al oído:

—No abras los ojos.

—Hecho —contesto emocionada.

—Tengo algo más para ti.

—¿Más?

—Ssshhh —me susurra al oído—. Dame la mano.

Apoyo suavemente mi espalda en su pecho, le tiendo la mano y percibo que deposita algo en ella. La cierro con fuerza, como queriendo adivinar qué es aún con los ojos cerrados. Por su forma, parece una figurita, pero no logro averiguar qué forma tiene.

—Déjame abrir los ojos.

—No... —me susurra dulcemente al oído—. Olvídate de ver. Necesito que me sientas.

211

Si supiera cuánto le siento. El corazón me va a mil por hora. Jake me abraza por la espalda con más fuerza y me doy cuenta que la figurita tiene un cordón, es un collar. Jake me lo coge de las manos y me lo cuelga.

—Es un tótem.

—¿Un tótem?

—Sí, un amuleto. Pero no es un tótem cualquiera. ¿Puedes apreciar la forma que tiene?

Recorro el pequeño amuleto con los dedos: es como un tronquito de madera pero con unas curvas talladas. Una forma similar a un reloj de arena pero tallado con más curvas.

—Sí.

—Es mi voz.

—¿Cómo? —No entiendo nada, todo me parece tan increíble...

—Sabes que al hablar creamos unas ondas de frecuencia, algo parecido al latido del corazón.

—Sí.

—Bien, pues grabé mi voz diciendo algo, algo para ti. Y luego tallé la forma de las ondas del sonido en esta maderita para que pudieras llevar siempre contigo lo que significas para mí.

—¿Es una palabra?

—Sí...

—¿Cuál?

—Oneyda.

—¿Oneyda?

—Es en idioma apache. De los nativos americanos. Significa 'esperada con impaciencia'.

Me quedo sin voz, es algo precioso y no tengo nada que pueda quedar a la altura. Abro los ojos, me vuelvo hacía él y, aún con el tótem entre los dedos, le beso. Le beso como si fuera la primera vez, con deseo y dulzura. Jake me sujeta la cara suavemente y me devuelve el beso con pasión.

—Esto es lo más bonito que alguien ha hecho por mí. Este lugar, este detalle, tu…

—No es gran cosa, te habrán regalado objetos más costosos pero esta es mi única manera de retener el tiempo. De retener este momento. Todo en esta vida es efímero, incluso la voz. Las palabras, lo que te estoy diciendo ahora mañana no estará, no podrás oírlo. Pasa en un instante y por eso se inventaron decenas de métodos de grabación. Para retenerla. Para reescucharla. Pero hay otra forma de mantenerla más allá de un registro sonoro. El sonido puede transformarse en un objeto y, así, no solo se inmortaliza en el tiempo. También pasa a otro plano, al espacio. Y ahora mi voz, lo que significas para mí, será tuyo para siempre.

Una lágrima corre por mi mejilla, no tengo palabras y siento que es el regalo más grande y valioso que me han hecho en la vida.

—Jake, nadie jamás me había regalado algo así —le digo mientras miro directamente a sus ojos, casi rozando sus labios—. Nadie.

—Me alegro. Yo tampoco había regalado nada así a nadie.

Su cara se entristece por un instante y digo lo que hace tanto tiempo deseo decirle:

—Olvídate de todo, por favor.

Jake me mira con tanta fuerza que siento que me desnuda y ahí, en esa azotea ajenos al mundo, Jake coge mis manos y empieza a besar lentamente mis dedos. El simple roce de sus labios en mi piel me eriza todo el cuerpo. Con sus manos acerca mi cabeza a la suya muy lentamente y me besa con tanta pasión que voy a perder el control. Me acerco a él con deseo mientras nos fundimos en el beso más apasionado de mi vida. La cálida luz del atardecer nos acaricia. Pasamos media hora besándonos y abrazándonos sin necesidad de hablar.

—Vámonos de aquí —le suplico.

—¿Dónde quieres ir? —pregunta mientras roza sus dedos contra mis labios.

—Al bosque.

—¿Al bosque?

—Me encanta este lugar, pero quiero volver al bosque.

—Totalmente embelesada por el momento, no soy dueña de mis actos ni de mis palabras.

Jake sonríe, se levanta y nos vamos.

Volvemos a coger la ranchera y dejamos ese precioso lugar atrás. Necesito sentirme otra vez como aquel día, el día que en medio del bosque me di cuenta de lo miserable que había sido mi vida, el día que Jake corrió tras de mí, el día que desperté. Necesito volver a experimentar esa conexión porque estoy segura de que no volveré a sentirla jamás en mi vida.

Conduce durante veinte minutos. Apenas queda luz cuando nos adentramos por un sendero jalonado por árboles. Toma un desvío a la derecha y enseguida para la camioneta, cuando la ciudad queda tan lejos que la luz de los faros y la luna son lo único que nos alumbra. Baja, se dirige al maletero y saca una manta. Me abre la puerta e impaciente lo sigo. Nos sentamos en el suelo, lejos del vehículo, rodeados de naturaleza, y con la llegada de la noche nos fundimos. Jake se tumba lentamente empujándome hacia él y nos quedamos uno al lado del otro, tendidos cara a cara. Como dos adolescentes. Empieza a acariciar mis labios entre beso y beso una vez más. Besa tan bien…, es increíble. Apoyo mi mano en su cuello y empiezo a hacer pequeños círculos con mis dedos acariciando su nuca. Me mira, se muerde el labio y suspira.

—Vas a matarme. Eres tan bonita.

Empieza a deslizar su mano por mi brazo y termina acariciando mis costillas. Me recorre de arriba abajo con pasión y ternura. Sus manos van recorriendo todo mi cuerpo. Una y otra vez. Cada vez con más deseo. Cada vez con más fuerza. Cada vez llegando a más rincones. Me acaricia los muslos y poco a poco su mano se va acercando a mi entrepierna. Un fuerte cosquilleo me sacude y en un arrebato de pasión me empuja y me coloca encima de él. Me dejo llevar y delicadamente le quito la camiseta con su ayuda. Dios, tiene un pecho definido y un abdomen plano dignos de contemplar. Una pequeña cicatriz al lado del apéndice y ese tatuaje pequeño en el pecho. Ahora puedo leerlo: «Oneyda». No puedo creerlo. Le beso el tatuaje como si en cierto modo me llevara en la piel.

—Sabía que llegarías —me dice cuando se da cuenta de mi descubrimiento—. Hace años sentí que había algo que no llegaba, me faltaba algo para sentirme pleno, y la espera se hizo cada vez más insoportable. Decidí tatuármelo, para que cuando apareciera yo fuera consciente de que era lo que había anhelado toda la vida. Te juro que jamás pensé que sería una mujer. Podría haber sido otra cosa. Pero eres tú.

Me saca la camiseta con urgencia mientras nos besamos. Se gira de golpe colocándome debajo de él. No llevo sujetador, así que mis pechos quedan al descubierto ante sus ojos. Noto el frío del suelo a través de la manta. Se separa un poco para mirarme. La suave luz de la luna nos alumbra y Jake suspira con los ojos incendiados en deseo. Me mira como quien contempla una obra de arte por primera vez. Fascinado. Y me hace sentir pletórica. Deseada. En llamas. Extiendo mi mano hasta tocar el suelo, necesito comprobar que esto es real. Las hojas y la tierra se cuelan entre mis dedos. Cierro con fuerza la mano atrapando la tierra y las flores mientras Jake besa una a una las pecas de mi cuello. Baja poco a poco hasta llegar a mi pecho, los acaricia con las yemas de sus dedos muy suavemente mientras roza su precioso cuerpo entre mis piernas. Siento que podría tener

215

un orgasmo ahora mismo. Pero ¿qué tiene este hombre? Sigue con sus labios, recorre mis pezones con una mezcla de dulzura y pasión imposible de describir. Agarro su espalda con fuerza como en una súplica de que se acerque más a mí, de que siga rozándose y noto cómo la tierra de mi mano recorre su espalda. Empiezo a mover mi cuerpo contra el suyo en una necesidad insaciable de sentirle. Sigue bajando por mis costillas. Mi ombligo. Hasta llegar a la cintura. Me desabrocha los pantalones con fuerza y me los baja mientras me mira. Suspiro y cierro los ojos.

Jake se separa un poco de mí. Dejo de sentir su cuerpo contra el mío y noto que sutilmente con su dedo recorre las costuras de mi ropa interior. Haciendo que lo necesite cada vez más. El aire golpea las copas de los árboles y a lo lejos oigo el graznido de un búho y algún otro habitante de la noche. Puedo sentir el peligro. De todo. De lo nuestro, de la noche, del bosque. Roza con sus dedos por fin mi parte más íntima y estalla una sensación de placer que nunca había experimentado. Deseo de él, de tenerlo dentro, de hacerlo mío. Lo acerco a mí y nos besamos con pasión. Le desabrocho los tejanos y sin miedo le acaricio. Siento su erección entre mis dedos y siento que amo a este hombre. Su cara de placer le hace mil veces más atractivo. Mil veces más hombre. Mil veces más mío. Suspiramos al unísono como dos lobos revolcándose bajo la lluvia y me acaricia entre las piernas con más fuerza. Esta vez por dentro de la ropa. Siento cómo me humedezco, cada vez más, y cómo se excita él con cada caricia. Me baja las braguitas con mucha delicadeza y me besa cada lado de la ingle. Recorre con su lengua mi entrepierna para acabar con un dulce y húmedo beso en la parte más sensible de mi cuerpo.

Vuelve a mi cuello. A mis labios. Y sutilmente lo ayudo a deslizar sus pantalones. Sintiendo el cálido contacto de su miembro contra mis piernas. Su calor. Su fuego me en-

216

vuelve. Y en medio de un beso apasionado y dulce, con las estrellas sobre nuestras cabezas y la tierra bajo nuestros pies, entra dentro de mí. Me desgarro de placer y gimo sin contenerme. Jake coloca su mano en mis labios. «Gime todo lo que quieras», me dice mientras me tapa suavemente la boca. Cierro los ojos y me dejo llevar. Percibo la brisa del verano atrapándome. Su olor. El olor a hojas tiernas. En cada embestida siento cómo este hombre me hace suya. Lo agarro con fuerza por la espalda. Me muevo a su ritmo. Nunca pensé que haría el amor en medio del bosque. Tan feroces. Él y yo solos. La noche y el resto del mundo tan lejos, tan invisibles.

Me gira para ponerme encima de él y me ayuda a moverme contra su cuerpo. Hacemos el amor como dos amantes ciegos de placer. Suspiro en cada embestida. Y tras casi una hora frenética, me abandono al placer a la vez que él. Me agarra de la cintura con ternura y me susurra: «Te amo». Mientras percibo cómo estalla su orgasmo entre mis piernas, gimo y cierro los ojos intentando retener otro momento para siempre.

Aún entre respiraciones fuertes y entrecortadas nos abrazamos con fuerza. Jake me rodea con sus brazos. Nuestros sudores son uno solo y no quiero irme de allí jamás. Lo miro y descubro que se le derrama una lágrima.

—¿Por qué lloras?

—No lloro… —contesta—. Me siento lleno, completo… Jamás había sentido a nadie como te siento a ti. Como si ni la piel me limitase. —Me besa la frente y me abraza con más fuerza—. No tengo palabras, Flor. Me enloqueces.

Nos quedamos abrazados sin hablar durante un buen rato. Me acaricia el pelo. Los susurros de la noche nos rodean y me siento invencible. Jake vuelve a acariciarme los labios. Y esta vez soy yo la que se enciende y le suplico que me haga suya de nuevo. Nos fundimos en un nuevo beso, vuelve a hacerme el amor, esta vez más dulce, más tierno, y volvemos a acabar al unísono.

Tras un rato más en su regazo, Jake empieza a recoger mi ropa y me viste con dulzura.

—¿Qué haces? —Me río.

—Te visto.

—Ya, ya veo.

—Me gusta tanto quitártela como ponértela.

—Estás loco. —Le doy un golpecito en el hombro.

Se levanta solo con los vaqueros puestos y me ayuda a ponerme en pie. Avanzamos unos pasos hacia el espeso bosque. Descalzos. Frágiles. Salvajes. Jake, aún con el pecho descubierto, me abraza y me señala el cielo. Con mi cabeza apoyada contra él, miro hacia arriba y veo millones de estrellas que brillan con toda su luz. No recuerdo haber visto un cielo tan estrellado en mi vida. Todo se torna real.

218 Retomo el conocimiento, vuelvo en mí y me doy cuenta de que estoy a cientos de kilómetros de mi casa, de mi gente y en brazos de este hombre que ha cambiado mi vida. Me siento feliz. Pletórica y, a la vez, echa una mierda. Rezo por que no acabe nunca.

—Suéltate el pelo — me suplica Jake.

Le miro y suelto la coleta mal hecha que me acabo de hacer. Jake me coge la mano y echa a correr. Tira de mí con fuerza y corre, corremos como aquel día. Dejándolo todo atrás. Siento la tierra que se me clava en los pies descalzos.

—Pero ¿qué haces? ¿Te has vuelto loco? —pregunto, jadeando por el esfuerzo.

Jake empieza a reír a carcajadas mientras corremos por el bosque a oscuras; apenas distingo su cuerpo, me entra la risa, no sé muy bien por qué. Quizá sea la euforia, los nervios, las emociones, corremos sin motivo, quizá para desahogarnos. Como dos adolescentes que huyen. Y entre risas Jake suelta un aullido como si fuera un lobo. Me mira y ríe.

—Vamos, ¡aúlla!

—No...

—Hazlo —me suplica.

Y lo hago, aúllo, chillamos, corremos aullando, bromeando, vaciándonos. Animales. Libres. Brutales. Como si de ese modo la realidad fuera a doler menos. Y por primera vez en mi vida me siento viva.

Tras una larga carrera llena de adrenalina volvemos a la camioneta. Jake me sonríe con cara de bobo, agotados. Enamorados

—Deberíamos volver —me dice.

La realidad me golpea con dureza una vez más.

—Sí, mi abuela estará preocupada.

—No creo —sonríe Jake.

—Ya, jeje.

—Flor, escúchame —me dice mientras se pone la camiseta y se ata las zapatillas—. Pase lo que pase, para mí esto significa mucho. No quiero que te sientas mal.

—Ni en mil años tú podrías hacer algo que me hiciera sentir mal. —Lo abrazo y le doy un beso dulce en los labios. Como si fuera mío. Como si yo fuera suya.

Nos damos la mano y nos dirigimos a la camioneta. Es tarde y tenemos que volver. Caigo en la cuenta de que había quedado con Mel, pero no digo nada. Deben ser las diez de la noche. Siento miedo por un momento, pero no se lo confieso.

Durante el camino de vuelta vamos cogidos de la mano y, de vez en cuando, en los semáforos nos besamos. Paramos a repostar en una gasolinera y antes de incorporarnos a la carretera Jake me sujeta con fuerza y vuelve a besarme encendiendo todos mis sentidos. Es sobrenatural. Llegamos a casa pasadas las doce de la noche. Al entrar, oigo a Mel hablando histérica en el salón y a Jake se le cambia la cara.

219

—Pero ¿dónde estabais? —grita Mel acercándose.

—Mel, lo siento. Llevé a Flor a Nashville, quería enseñarle el edificio AT&T de mi amigo.

—Sí, perdona, Mel. Es mi culpa. Le reté a que no había en este estado nada que igualara a Nueva York y se lo tomó como algo personal —miento para defender a Jake.

—No, Flor, no es culpa tuya. Es él, que es un insensato, y estando como está se pone a conducir y se deja el móvil en casa —me dice sin ninguna sospecha hacia lo que acaba de ocurrir. Parece que es algo personal con su novio—. Eres un absoluto desastre, Jake, no cambiarás nunca. Me voy para casa, estaba preocupada. Buenas noches, Flor. —Sale dando un portazo.

Jake agacha la cabeza. Joan nos mira sin gesto alguno de enfado y abraza a su hijo.

—Cariño, ve a casa y descansa. Mel ha pasado unas semanas muy malas. Entiéndela.

—Tienes razón, madre. Flor, buenas noches. —Se acerca a mí y me da un beso en la mejilla y me aprieta la mano—. Siento mucho este momento.

—No te preocupes, ve a casa y descansa. Mel tiene razón, no tendrías que haber conducido.

—Tranquila. Sé perfectamente lo que hago y no me arrepiento de haber conducido —dice la palabra «conducido» como refiriéndose a todo lo demás que ha pasado.

Me siento un poco aliviada. Le devuelvo el beso en la mejilla. Me abraza fugazmente y sale por la puerta.

—Ve a dormir, pequeña —me pide Joan casi a modo de súplica—. Mañana será otro día. Tu abuela está durmiendo. Lo hemos pasado en grande.

—Me alegro. Gracias por todo, Joan. —La abrazo y me dirijo a la habitación.

Necesito dormir y no despertarme jamás.

28

El canto de los pájaros me arranca de un sueño profundo y merecido. Son las once y media de la mañana. No puedo creer que haya dormido tanto. Miro la cama de la abuela y veo que está vacía. Me levanto con pereza y sin tener ni remota idea de qué vamos a hacer hoy. Pero no me preocupa, aunque suene extraño me siento terriblemente bien y en paz. Supongo que será lo que tiene pensar solo en uno mismo. Sé que es egoísta, pero lo necesitaba desde hacía meses.

Me pongo un vestido corto de flores y unas sandalias de esparto, me lavo los dientes, me pongo un poco de máscara de pestañas y me dispongo a bajar. Oigo unas risas en el jardín y me asomo disimuladamente por la ventana. Veo a Joan con la abuela, Jake y Lonan riéndose como si estuvieran en una fiesta. La abuela y Joan están trasplantando flores, el abuelo está sentado en el balancín con un libro entre las manos y una taza de té y Jake está arreglando la barandilla del porche.

Me quedo un rato mirándolos. Lo cierto es que la imagen me parece preciosa. Veo a la abuela y a Joan tan felices... Lonan, tan entrañable como siempre, haciendo bromas a las mujeres y Jake trabajando pero sin perderse detalle de la conversación. Lleva unos vaqueros grises y una camiseta básica negra con cuello de pico. El pelo despeinado y las manos llenas de pintura. Me llevo la mano al cuello y agarro con fuerza el tótem. Estoy tan feliz de tenerlo... Es algo tan especial... Su voz, una palabra de sus labios mía para siempre.

—Buenos días, chicos —saludo con alegría mientras salgo por la puerta trasera que da al jardín.

—Buenos días, cielo. No quería despertarte, dormías como un angelito —dice la abuela acercándose a darme un beso.

—Ya veo ya que no te hago ninguna falta —bromeo.

—¿Te apetece ayudarnos con estos cactus? —me invita Joan tendiéndome unos guantes.

—Cuidado, Flor. Si accedes, serás su ayudante de por vida. Mírame a mí —se burla Jake mientras me dedica una calurosa sonrisa. Se le ve relajado.

—Yo encantada de ser suya para siempre —le contesto mientras Joan me da un abrazo de buenos días.

—Venga, chicas, vamos a llenar estas macetas —pide con su peculiar alegría.

Me recojo el pelo en una coleta. Lo llevo muy largo y me molesta para trabajar. La voz sabia de Lonan me interrumpe:

—Mejor hazte una trenza —me dice.

—¿Una trenza?

—Sí, los nativos siempre las llevamos. Mi madre decía que trenzarse el pelo atrapa la tristeza e impide que entre en el cuerpo. Por eso las mujeres siempre que tenían problemas trenzaban sus cabelleras. Dejando así las penas lejos de su alma. ¿Sabías que creían que en el cabello residía toda su fuerza? El cabello es algo poderoso, como las raíces de los árboles.

Empiezo a hacerme una trenza y Jake me sonríe.

—Bien hecho, siempre que lo necesites, trenza tu tristeza.

Me agacho para empezar con la jardinería. Cómo me gusta escuchar a este hombre.

Pasamos el resto de la mañana las tres juntas con las plantas y las flores hablando de tradiciones americanas y españolas.

—¿Cómo has dormido? —Jake se acerca en un momento en que Joan y la abuela han ido a la cocina a por más utensilios.

—Bien... —le respondo sonriéndole como una niña pequeña mientras me apoyo en el cercado de madera que da al Santuario.

—Siento mucho el numerito de anoche. Me encanta cómo te queda la trenza —me dice en voz bajita.

—No, por favor. Fue totalmente normal, imagino que yo hubiera hecho lo mismo.

—Bueno, no sé. Intento no pensar en nada. Solo quería saber que habías pasado buena noche y no te habías sentido mal.

—No, no me he sentido mal —admito con sinceridad.

Se acerca y me da un beso fugaz en la cabeza antes de volver al trabajo.

A la hora de comer llegan Robert y Mel. Ella está algo distraída. Lo cierto es que no sabría definirlo de otro modo. Se nota que no sospecha en absoluto de lo mío con Jake y que es más algo personal de ellos dos. Me alivia, aunque me siento totalmente culpable. Comemos todos juntos y Mel saca el famoso tema.

—Flor, la boda es ya en catorce días, disculpa por lo de ayer. Estoy histérica.

Jake levanta la cabeza del plato y me mira de una forma que soy incapaz de descifrar.

—Es normal, Mel, yo estaría peor. —Río para romper el hielo pero todos los demás siguen comiendo sin hacer mucho caso a la conversación. Si no fuera porque es impo-

223

sible, creería que todos saben lo que pasó entre Jake y yo e intentan esquivar la conversación.

—¿Vas a quedarte hasta entonces? —me pregunta intrigada.

—Oh, no no. Pasado mañana regreso a Nueva York, tengo dos bodas antes que la vuestra. —Agacho la cabeza y sigo comiendo.

—¿Pasado mañana? —pregunta la abuela extrañada—. Pensé que nos quedaríamos más tiempo.

—Lo siento, abuela, se me olvidó decírtelo. Pero tranquila, puedes quedarte en mi casa, te gustará Nueva York, ya verás.

Joan contesta antes que la abuela:

—¡Ni hablar! Ella se queda. Esta es su casa. ¿Te apetece quedarte hasta la boda?

Jake come sin levantar cabeza y cada vez me siento más incómoda ante esas cuatro letras: «b-o-d-a».

—Oh, Joan, ¿de veras? Me encantaría. Si no te importa, claro, cariño. —Me mira con cara de súplica.

—Para nada, abuela. Claro, quédate. Ya volveremos juntas después de la boda.

La comida sigue como de costumbre. La abuela y Joan hablan sobre sus cosas, los demás escuchamos y poco más. Después de comer me voy a dar una vuelta con la abuela y me enseña los lugares en los que solían jugar de jóvenes y pasear. La verdad es que ver Wears Valley con sus ojos se convierte en un lugar aún más acogedor.

Después del paseo volvemos a casa y paso el resto de la tarde trabajando con el ordenador, tratando de no pensar en nada. El sonido del teléfono me devuelve a la realidad. Es Roy. Dudo si cogerlo o no, pero me siento fatal y descuelgo.

—Hola —contesto escueta y preocupada.

—Hola, Flor, ¿cómo estás?

Dudo si mentirle o contarle la verdad, pero no lo soporto más y estallo a llorar. Estoy sola en la habitación, la abuela se ha quedado con Joan por el Santuario y no puedo reprimir más mis sentimientos.

Tras mi silencio, Roy insiste:

—Flor, ¿estás bien? Escucha, necesito hablar contigo.

—Dime —contesto gimoteando.

—No llores, por favor.

—Vale —contesto tratando de no respirar.

—No sé, Flor, no sé nada de ti desde hace un par de meses, cuando volvimos de Tennessee y luego tu repentino viaje a Barcelona y otra vez a Tennessee. He intentado refugiarme en mi trabajo pero no puedo. Lo estoy pasando verdaderamente mal. No eres la misma y me duele mucho. No me llamas, no me buscas, no estás atenta ni cariñosa.

—Roy, yo…

Me interrumpe, por suerte, pues no tenía ni idea de qué decir:

—Déjame acabar. Estos días aquí solo, sin noticias tuyas me están haciendo reflexionar mucho. Me acuesto solo cada noche esperando tu llamada que nunca llega, o tu mensaje, y me da la impresión de que necesitas un tiempo de verdad, pero no te atreves a pedírmelo.

Cuánta razón tiene, pero no puedo admitírselo. Sigo gimoteando, aunque trato de que no me oiga.

—No llores, Flor. Te quiero mucho y me mata verte así. Lo peor de todo es que ni siquiera sé por qué estás así. Me temo lo peor, pero me niego a creerlo. Voy a pedirte yo un tiempo.

—¿Cómo? —Paro de llorar en seco—. No entiendo.

—Que el que necesita un tiempo ahora soy yo.

—Pero… —Un nudo en el estómago me coge por sorpresa, debería estar aliviada pero no lo estoy. Pobre Roy. Debe estar pasándolo fatal.

—Siempre te he dado todo lo que he podido y sabido. Siempre. He tratado de hacerte feliz y es lo que quiero seguir haciendo. Quiero casarme contigo y que seas la madre de mis hijos. —Me doy cuenta al oír sus palabras de que yo ya no quiero lo mismo que él—. Pero siento que no está funcionando. Estás tan distante y fría que me haces dudar. No te reconozco. No puedo seguir así. No puedo seguir con estas dudas y este nudo en el estómago cada vez que veo que no llamas o no estás aquí. Prefiero que nos demos un tiempo. Para no estar constantemente esperándote. Espero que te des cuenta de lo que quieres realmente.

Me siento un poco aliviada pero aterrorizada a la vez, le he sido infiel y él no tiene ni idea. Me siento culpable y sucia. Lloro.

—No llores más. Estate tranquila. Si quieres, cuando vuelvas a casa, me voy unos días a casa de mi padres y así puedes pensar.

—No, Roy, no hace falta. —Trago saliva, pues esto es lo más difícil que voy a decirle en toda mi vida—. Ya me voy yo. Pasaré unos días en el estudio, tengo la cocina y el sofá-cama. Quédate en casa.

Oigo cómo suspira e imagino que de algún modo esperaba que le suplicara que no me dejara. Ni siquiera sé si me está dejando o solo es para darme un escarmiento. Pero siendo honestos, es lo que necesitamos, al menos yo. Aunque me rompa.

—De acuerdo.

—Roy…

—No tengo ganas de hablar. Que vaya bien, llámame cuando estés por aquí. Cuídate —me interrumpe.

—Te quiero…

Roy cuelga el teléfono, dudo de que le haya dado tiempo de oírme acabar la frase.

No puedo creer que mi vida, todo mi mundo, acabe de desmoronarse oficial y completamente. Me tumbo en la cama y me pongo a llorar como hacía años que no lloraba.

Como un niña. Como un bebé. Lloro por mi relación con Roy. Por el puñado de promesas rotas. Por mi traición. Por haberle fallado. Por haber fracasado en el amor una vez más. Por haberle mentido. Porque el hombre del que me he enamorado va a casarse con otra mujer y porque ahora mismo no tengo ni idea de hacia dónde se dirige mi vida. Le envío un sms a Syl.

> Por favor, cancela todas mis reuniones de Skype y telefónicas de este mes. Voy a hacer las bodas que tengo y tomarme un descanso. Lo siento. No tengo ganas de hablar.

No pasa ni un minuto, Syl responde:

> Madre mía, Flor. De acuerdo. Me asustas. Pero no te preocupes, yo me encargo de hacer las reuniones por ti, así no perdemos clientes. Tómate tus vacaciones y que vuelva la Flor de siempre, por favor.

Suspiro, y sé que esa Flor jamás volverá. Le contesto con un escueto «Ok».

Cojo el móvil de nuevo y me fotografío la trenza. Como tratando de inmortalizar las ganas que tengo de que lo que me ha contado Lonan sea real, que la tristeza quede fuera. Que no me atormente más. Y la subo a Instagram, sabiendo que en mi perfil ya nada volverá a ser nunca eterno, que la fotografía, como tantas otras cosas, dejará de ser mía, se desconectará de mí y de mi tristeza para convertirse en un trazo aparentemente plácido de vida, en un falso espejismo de felicidad:

> Trenzando sueños perdidos #native #cherokee #trenza

Me tumbo. Triste. La foto ahí sigue. Me duermo.

227

29

*L*a mano de mi abuela en mi hombro me despierta. Son las ocho de la mañana. Anoche no bajé a cenar. Cuando la abuela subió a buscarme, le dije que no tenía hambre, que estaba cansada, y ella no insistió. Pasé toda la tarde en la cama. Sabe por todo lo que estoy pasando y me está ayudando mucho dejándome mis espacios sin preguntar, pero parece que ya no puede más.

—Cariño, tienes que comer algo —me dice mientras me aparta el pelo de la cara.

—No tengo hambre —contesto haciéndome la dormida y tapándome la cara como una niña pequeña.

—Mira, Flor, se acabó. —Me destapa de golpe y gruño.

—¡Yaya!

—Yaya nada, despierta y baja a desayunar. Luego si quieres, vuelve a encerrarte a llorar y lamentarte, o quizá puedas ponerte en marcha y detener esa estúpida boda.

La voz enfadada de mi abuela hace que me incorpore de golpe.

—¡Estás loca! No pienso hacer eso.

—Bien, pues al menos disfruta del último día que vas a estar aquí conmigo. Yo sé lo que sientes. Sé lo que es morirse de amor. ¿Y sabes qué? No te mueres. Así que levanta ese culito que tienes, vístete y vamos. ¡Ya no te quiero ver llorar más! —Se le nota que no está enfadada, que solo lo disimula y eso me arranca una sonrisa—. No te rías, hija. Va, haz caso a tu abuela.

—¿Por qué te quiero tanto?

—Porque soy la única que te lo consiente todo. Pero ya no más. Has de coger las riendas de tu vida. Anoche Jake vino a cenar. Preguntó por ti.

—Jake nunca cena aquí. Suele cenar en su casa.

—Bueno, pues ayer cambió de planes. Es un buen chico y esa tal Mel también.

—Yaya, me estás liando. ¿Detengo una boda y destrozo la vida a Mel, o es buena chica y hago sus sueños realidad?

—Haz lo que sientas que tienes que hacer.

—Siento que no tengo que hacer nada. No voy a hacer nada. Voy a dormir durante un mes. Eso voy a hacer. Y lo que tenga que ser será.

—Me parece bien y justo. Es una decisión muy inteligente y muy poco atrevida.

—¡Abuela!

—Va, Flor, cariño, vamos a desayunar. Hace un día precioso.

—Vaaaale. —Es imposible no hacer caso a esta mujer.

Sé que quiere lo mejor para mí. No me apetece contarle lo que pasó en Nashville, ni lo de Roy. No por nada, sencillamente tengo ganas de dejar de pensar en todo este lío.

Oigo a Jake a lo lejos en el establo y a Robert y Lonan descargando unas jaulas.

—Llegan nuevos habitantes —me cuenta Joan mientras saca del horno una tarta de manzana que huele de maravilla.

—¡Qué bien! ¿Qué son?

—Una familia de cerditos muy bonitos.

—Espero que nadie se haya metido en ningún lío para salvarlos.

—No. Ha sido un decomiso de una granja que estaba en mal estado. Sanidad la ha cerrado y han donado los animales a diferentes refugios y granjas-escuela.

—Oh, cuánto me alegro.

—Sí. Hoy Jake está contento —me dice mientras me señala con la cabeza el jardín—. Anoche vino a verte. Pero le dijimos que no habías querido bajar a cenar, así que no te quiso molestar.

—Umm —contesto algo confundida—. Sí, me lo ha dicho mi abuela, estaba muy cansada.

Joan me sonríe tiernamente y me ofrece un poco de zumo de pomelo y tarta.

—¡Qué bien huele!

—¿Qué piensas hacer en tu último día por estas tierras?

—Pues no lo sé, la verdad.

—Hoy es la Feria de los fundadores. Se llena el pueblo de tiendecitas ecológicas y de agricultores. Venden frutas, verdura, comida casera, y se conmemora el origen de este pueblo. Cosas de americanos, ya sabes —me dice riendo como si no fuera a apetecerme—. Vamos a ir a recoger unas gallinas que iban a usar para que los niños jugaran con ellas. Lo denunciamos y accedieron a cedérnoslas y a cambiar el stand por uno de tiro al arco.

—Pues me encantaría ir, claro.

—Genial, ahora mismo se lo digo a Jake. Él irá antes. Puedes marcharte con él. Luego ya iremos nosotros con Robert. ¿Te parece?

—Está bien. Si no le importa.

—Nada, mujer, él lo propuso anoche.

Por un momento me siento mucho mejor, con ganas de disfrutar del día de hoy y por primera vez, me siento aliviada. Sé que hoy no voy a engañar a nadie, sé que podré estar tranquila y ser tal cual soy. Me olvido de lo que ocurrirá cuando llegue a casa y me olvido de la boda. Hoy voy a disfrutar de mi último día en el Sur.

Jake entra por la puerta trasera de la cocina, lleva unos vaqueros azul oscuros, una camisa de cuadros y un sombrero negro de *cowboy*. Se despide de su madre, coge unas bolsas que Joan le pasa y me saluda con la cabeza.

¿Vas a llevarme a la feria? —le pregunto como si fuéramos amigos de toda la vida.

—Por supuesto, vaquera —bromea y me pone su sombrero.

—¿Y esto?

—Tienes que pasar desapercibida. Vámonos. Os veo ahora, señoras. —Jake está alegre.

Nos despedimos de la abuela y de Joan y nos dirigimos a su camioneta.

La pone en marcha y me mira con una sonrisa mientras niega con la cabeza.

—¿Qué pasa?

—Pareces una pueblerina —bromea.

—Lo soy, ¿no lo sabías?

Nos reímos y me acaricia la mejilla fugazmente.

—¿Cómo estás? ¿Has dormido bien?

—Sí, me han dicho que anoche viniste a verme. Disculpa. Estaba cansada.

Sé que es el momento perfecto para contarle lo de Roy, para decirle que nos hemos dado un tiempo. Para hablar de nosotros, pero sin embargo cambio de tema radicalmente.

—Y a esta feria, ¿va mucha gente?

—Sí, señorita. Vas a alucinar —me dice mientras se di-

231

rige a un amplio descampado lleno de camionetas y remolques para caballos.

Nada más aparcar puedo oír la música a lo lejos y un montón de gente dirigiéndose a lo que parece la entrada al recinto ferial. Nos acercamos hacia ella. Otra gran explanada verde. Hay un gran arco de madera con un cartel gigante con el lema «Bienvenidos».

Tal como me imaginaba, la música country suena por los altavoces y todo el mundo va vestido con sombreros y botas vaqueras. Hay un montón de puestos de comida y mucha gente va con su caballo. Algunos a pie y otros montando. Más al fondo puedo ver stands donde venden gallinas, patos, conejos e incluso uno que muestra vacas y otros animales. Jake me mira señalándome esos puestos y pone los ojos en blanco. Como dándome a entender que no tienen remedio.

232 —Esta fiesta solía ponerme de muy mal humor todos los años, hasta que descubrí que si no puedes con tu enemigo, únete a él, así que eso hicimos. Pedimos permiso al Ayuntamiento para que nos dieran un stand y *voilà* —me dice señalándome el puesto que tenemos justo detrás de nosotros.

—¡Guau! —exclamo sinceramente sorprendida.

Un stand precioso lleno de fotos de los habitantes del Santuario con un gran cartel: «Un cambio de mentalidad es posible. Salvemos a los inocentes». Jake me sonríe orgulloso.

—Bueno, no es gran cosa, pero proyectamos vídeos de nuestra labor en el Santuario y fotografías de cómo les cambia la vida. Los primeros años tuvimos muchas críticas. Los vendedores de animales vivos notaron que descendían sus ventas. Con lo cual, nosotros felices. Ahora ya nos respetan e incluso algunos valoran y apoyan nuestro trabajo. Para muchos este es el único modo de vida que conocen y nuestro trabajo los ayuda a abrir los ojos. Ve a dar una vueltecita, anda. Yo tengo que estar aquí hasta que lleguen mis padres. Luego te reto al tiro con arco. —Me da un golpecito en el hombro para que me ponga en marcha—. Pero no enamores a nadie, ¿eh?, aquí todos se enamoran de las forasteras guapas.

—Eres un tonto. Voy a dar una vuelta.

La verdad es que jamás creí que una fiesta tan de pueblo pudiera gustarme tanto. La música es tan alegre y los caballos, la comida y la decoración son de muy buen gusto. Lo cierto es que los pocos animales que hay en exposición están muy bien cuidados y estoy segura de que esto también es obra del Santuario. Miro a Jake a lo lejos. No deja de mirarme. Le sonrío y me guiña un ojo. Está guapísimo vestido de vaquero, parece un actor de Hollywood. Todos los tenderetes me ofrecen comida y bebida. La gente es feliz, se nota que son muy patriotas.

Vuelvo al stand tras media horita de paseo, en él están ahora la abuela y Joan. Jake ha desaparecido. Me acerco y me cuentan que la gente se para mucho a mirar y a preguntar. Ambas están felices y se las ve muy unidas. Parece mentira que esta mujer sea mi abuela. Qué cosas tiene la vida, pienso. Unas manos tapándome los ojos me sobresaltan de repente.

—Vamos a lanzar flechas.

El tacto de las manos de Jake y su voz me atrapan.

La alegría de esta gente me contagia y me siento feliz. Agradezco que Jake no saque el tema y que podamos disfrutar de este día como si nada hubiera ocurrido. Nos dirigimos a la famosa parada de tiro con arco y nos preparamos para competir. Tras una hora de juego me rindo. Me ha ganado todas las veces. Jake me anima a probar una última vez.

—Venga, Flor, yo te ayudo.

233

—Eso es trampa. Si gano, serás tú el que gana igualmente.

—No, que va —me dice mientras se pone detrás de mí y coge el arco conmigo.

Mi espalda queda completamente apoyada en su pecho y su mejilla roza la mía. Me explica susurrándome al oído, de una manera muy sexi, cómo debo tirar. Pone una de sus manos en mi cadera mientras con la otra aguantamos el arco y me indica cómo debo colocar las piernas. Siento un cosquilleo por todo el cuerpo y las ganas de besarle me sacuden de arriba abajo.

—Estás demasiado cerca, profesor. Dudo que pueda concentrarme —le digo bajito haciendo una mueca divertida.

—Ssshhh…, concéntrate en la diana —me contesta picándome y poniendo cara de concentrado.

234 Muevo un poco mis caderas y siento cómo sin querer me rozo más contra su cuerpo. Suspira y me da un beso en la mejilla.

—Concéntrate, Flor, que mataremos a alguien sin querer como sigas moviéndote así.

Los dos nos reímos y acto seguido me indica que suelte la flecha y por arte de magia doy en todo el centro de la diana.

—¡Siií! —Salto de alegría mientras señalo que lo hemos conseguido.

Jake me rodea con un brazo por los hombros.

—¿Lo ves?, eres una pueblerina.

Enseguida volvemos hacia el stand del Santuario.

Jake le cuenta a la abuela lo buena que soy en el tiro con arco y yo pongo cara de burla cada vez que me imita. Pasamos una mañana muy entretenida, comemos burritos vegetales que ha preparado Joan y seguimos disfrutando de la música en vivo y de las actividades de la feria. Mel trabaja todo el día y en cierto modo me siento aliviada. El sol empieza a caer y anuncian que acaba de empezar el baile de los fundadores. Miro a Jake con cara de «¿Qué es eso?». Y Jake me coge de la mano y me arrastra a seguirlo sin contemplaciones. Corremos de la mano entre la gente, las risas y la música y llegamos a una gran carpa llena de bombillas como las de los circos y puedo ver a toda la gente con sus sombreros y botas bailando y bebiendo al ritmo de la música. De pronto los músicos tocan la conocida canción de Lynyrd Skynyrd *Sweet home Alabama* y Jake me mira con los ojos como platos.

—¡Me encanta! Vamos. —Un nuevo tirón me obliga a seguirlo y acabamos en el medio de pista.

No tengo ni idea de cómo se baila esto pero él se encarga de que ni se note. Me agarra fuerte por la cintura, me acerca a él hasta el punto de que mi frente roza sus labios. Me da un suave beso y empieza a bailar al ritmo de la música. No puedo evitar reírme a carcajadas. Jamás creí que bailaría *Sweet home Alabama* amarrada entre los brazos de un auténtico vaquero sureño.

—Qué bien bailas, fotógrafa —bromea Jake mientras me da vueltas y más vueltas.

—No sabía que los rancheros supieran bailar —me burlo de él.

—Hay tantas cosas que no sabes… —me dice con cara de pillo.

Bailamos como dos niños, saltando, dando vueltas y cantando la canción a grito pelado entre toda la gente, que al igual que nosotros canta con entusiasmo. Me siento tan bien, tan feliz y tan eufórica que me atrevo a marcarme unos pasos sexis mientras miro a Jake y juego con mi sombrero tarareando *Sweet home Alabama*. Jake se ríe sin parar y de pronto aparecen Robert y la abuela. ¡Y se ponen a bailar con nosotros!

235

Robert me pide la mano y Jake hace dar vueltas a la abuela. La verdad es que está siendo una velada increíble. Robert me devuelve a Jake y mientras me abrazo a él, puedo ver cómo Robert y la abuela bailan. Sin ninguna maldad, tan solo como dos viejos amigos. De repente suena una balada preciosa y Robert y la abuela se separan sonrientes y vuelven al stand. Me alejo yo también un poco de Jake para mantener las distancias pero él me agarra por la cintura y me acerca sin importarle el qué dirán. Todo el mundo lo conoce aquí, todo el mundo sabe lo de la boda, y sin embargo él se comporta como si estuviéramos solos en el mundo. Bailamos despacio y muy muy cerca, casi frente con frente. Le rodeo el cuello con mis brazos. Sus manos siguen en mi cintura. Bailamos abrazados *I'm gona miss her*, de Brad Paisley. Lo miro a los ojos y no puedo evitar decirle lo que siento.

236

—Voy a echarte siempre de menos.

—Yo ya te echo de menos, estás muy lejos —me dice aunque más cerca no podemos estar, y entiendo que se refiere a poder estar juntos.

—Todo es una mierda —le digo agachando la cabeza.

—No. Tú existes. Nada es una mierda. Sonríe por favor.

Le sonrío un poco triste y seguimos bailando.

—Mel estará al llegar —me dice al cabo de un rato. Asiento con la cabeza y me separo un poco de él—. No, aún no ha acabado esta canción.

Bailamos abrazados hasta que termina y volvemos con el resto de la familia. Por el camino Jake se para en seco y me confiesa lo que está pensando:

—Flor, si me pides que no me case, no lo haré.

El estómago me da un vuelco. No doy crédito a lo que estoy oyendo.

—No, Jake, yo jamás te pediría algo así. No puedo desmontar tu vida. Debes casarte con Mel. —No tengo ni idea de por qué le estoy diciendo esto. Seré imbécil. Tonta. Cobarde. Todo.

—Entiendo —dice Jake sobreentendiendo que me refiero a que yo no voy a dejar mi vida en Nueva York.

No tiene ni idea de nada, no sabe que lo mío con Roy se ha acabado, no sabe que no tengo adónde ir cuando llegue a casa, pero no puedo contárselo, no puedo arruinar su boda, su mundo. ¿Qué sería de nosotros? Él no vendría a Nueva York y mi trabajo está allí.

—Jake, no quiero arruinarte la vida —es lo único que me atrevo a contestarle.

—De acuerdo, Flor, tranquila. Te entiendo de veras.

—Jake...

—Acabemos este día felices. Tranquila, no tienes que darme explicaciones —me dedica una mirada tierna y llegamos al stand sin poder acabar la conversación.

Jake me aprieta fuerte la mano como despidiéndose de mí por si luego no tiene ocasión.

—Hey, chicos, ¿cómo ha ido ese baile? —nos pregunta Joan con entusiasmo.

—Genial, Flor está hecha una auténtica bailarina.

Le susurro un «Te quiero» cuando nadie mira y Jake asiente con la cabeza.

Veo aparecer a Mel entre la gente, nos saluda con energía desde lejos. La saludo con una amplia sonrisa. Está preciosa. Se ha ondulado el pelo, lleva unos vaqueros azul clarito todos rotos que la hacen muy sexi y un top de color rojo.

—Hola, familia —nos saluda a todos—. Flor —me dice mientras me da un abrazo rápido y se dirige a Jake—: Hola, cariño. —Se lanza a sus brazos y le planta un beso en toda regla.

Parece que esta feria pone feliz a todo el mundo. Aun-

237

que ahora que lo pienso es obvio, va a casarse con el hombre más increíble del mundo. Me entristezco y me doy cuenta de que debo olvidar todo lo ocurrido.

—Por fin soy libre, qué día más duro hoy en la cafetería. ¿Quién me saca a bailar? —dice empujando a Jake a la pista de baile.

Jake ni me mira. La abuela me abraza y me anima a bailar con ella. Nos dirigimos todos a la pista de nuevo y bailamos hasta el final de la fiesta. Jake y yo no volvemos a cruzar palabra más que para despedirnos. Entonces le doy a Mel un fuerte abrazo.

—Te veo el gran día. Has hecho un trabajo increíble, todo quedará genial gracias a ti —me dice entusiasmada.

—Claro que sí, ya verás.

Jake me da dos besos.

—Buenas noches, Flor, y buen viaje. —Sus ojos están tristes pero no puede hacer ni decir nada. Mel está a su lado.

Nos dirigimos hacia los coches. Antes de subir, miro a Mel y Jake y les digo adiós con la mano. Jake me sonríe y Mel sacude su mano enérgicamente emocionada por su futura boda.

Ha sido una velada estupenda y me obligo a quedarme con eso, pero en realidad me siento terriblemente triste y sola. Mañana a primera hora sale mi vuelo y por primera vez en meses no sé lo que voy a hacer al día siguiente.

30

Suena el despertador. La abuela lo apaga y yo me tapo la cara con las sábanas.

—Arriba o vas a perder el vuelo.

—Bufff —suspiro perezosa.

—Venga, pequeña, tu hogar te espera.

Ya no tengo hogar, pienso para mis adentros. Pero no me apetece sacar el tema. Rezo para que Jake esté por la casa y poder darle un abrazo antes de irme. Ayer fue tan dulce y amable y encima yo le contesté que debía casarse. Soy imbécil y me siento fatal. Ojalá pueda verlo y explicarme. O lo que sea, pero verlo. Me ducho a toda prisa, debo estar en el aeropuerto en una hora. Me pongo un vestido largo de color camel atado al cuello y unas zapatillas con flecos marrones. Me hago una trenza en el pelo, cojo el equipaje y me despido de la abuela. Se la ve tan feliz. Me alegro por ella. La veré en unos diez días. Qué ilusión. Normalmente cuando nos despedimos pasan meses.

La cocina está vacía. Salgo al jardín y parece que no hay nadie. Son las siete de la mañana. Jake suele llegar a esta hora.

Oigo un ruido en el establo. Me apresuro a ver quién es. Lonan está curando a un cordero que tiene la patita herida.

—Buenos días, Flor, y buen viaje.

—Gracias, abuelo. ¿Está Jake por aquí?

—No, lo he enviado a por heno. No volverá hasta el mediodía. Tengo a los caballos sin comer desde ayer.

—Umm, vaya. —La decepción es innegable en mi rostro y él lo nota.

—Le diré que has preguntado por él.

—Vale, muchas gracias. Cuídese, le veo muy pronto.

—Sí, nos vemos en unos días. —Se levanta y me da un abrazo—. Es una bendición tener aquí a tu abuela. Es una hija para mí. Aún recuerdo cómo corría con Robert cuando eran jóvenes.

La imagen me parece entrañable y me voy con mejor sabor de boca.

—Bonita trenza.

—Sí, gracias. Es para que la tristeza no me cale los huesos… —le digo guiñándole un ojo.

El aeropuerto está vacío. El embarque es rápido y fluido, no como en Nueva York. Reviso el móvil a ver si hay alguna llamada o mensaje, pero nada. Ni Roy, ni Jake, ni Syl, ni nadie. El avión se dispone a despegar, cierro los ojos y trato de descansar un rato. Me pongo los cascos y dejo que la música me transporte a otro lugar.

Llego a Nueva York antes de lo esperado. Un vuelo rápido y sin complicaciones, como diría Roy. Dios mío, Roy, debo llamarle. Me decido por enviarle un mensaje.

Buenos días, Roy, ¿cómo estás? Acabo de aterrizar, voy para casa, cogeré un par de cosas y estaré en el estudio. Un abrazo, espero que estés bien.

240

De camino a casa, en el taxi no puedo evitar que la tensión de estos días estalle y se me escapa alguna que otra lágrima. Por suerte, el conductor no se da cuenta y no tengo que dar alguna explicación ridícula y falsa para disimular cómo me siento en realidad. Ya hemos llegado. Pago al taxista, que me ayuda a bajar las maletas, y ahí estoy. Plantada de pie delante de la puerta de mi apartamento, nuestro apartamento. Tomo aire y me dispongo a entrar.

Todo está como siempre, como si yo no me hubiera ido. Todo colocado al milésimo centímetro tal cual lo dejé, el mismo olor, las mismas sábanas. Me derrumbo. Esto es lo más parecido a un hogar que he tenido en años. Ya son cinco años junto a Roy en este precioso apartamento de la Sexta con Broadway y no puedo creer que vaya a recoger mis cosas para irme a mi estudio.

Mi estudio es muy mono y tiene lo básico para vivir, pero ni de lejos se parece al precioso apartamento en el que vivo o vivía con Roy. Ya no sé ni qué pensar. Solo diez días. Diez para el gran día. Para la boda de Mel y Jake, y antes de eso tengo que enfrentarme a cuatro reuniones, dos bodas en la élite de Nueva York, dos sesiones de fotos para dos revistas de novias y una vida por empezar, reorganizar y arreglar. Genial.

El hecho de que Roy no esté lo hace todo más fácil. No quiero irme. No quiero estar sola. No quiero perder a Roy. No quiero que Jake se case. No quiero nada.

Hago las maletas, cojo la mayoría de mi ropa y pido un taxi para ir al estudio. Cuando llego está todo impecable. Syl no ha llegado, así que aprovecho para colocar mis cosas, hacerme un zumo y un sándwich y ponerme a responder emails. Debo afrontar la realidad y ser consecuente con mis actos.

Syl entra por la puerta con un ramo enorme de flores. Divina vestida y con unas gafas de pasta que rematan su nuevo *look*. Parece salida de una revista.

241

—Madre mía, buenos días. Pero qué guapa estás.

—Benditos los ojos que te ven. —Se acerca y me tiende las flores—. Son para ti. Dame un abrazo.

Nos lo damos y siento que necesito contárselo y que me dé su opinión. Tras una hora de hablar y hablar explicándole todos los detalles, Syl se emociona.

—No sé qué decirte, Flor. Uf. ¿Por qué no me lo contaste antes? Esto es muy fuerte. No sé, todo. Lo de Roy, lo de Jake, la boda con Mel...

—Lo sé.

—Pero ¿qué ha dicho Jake de que lo hayas dejado con Roy?

—No se lo conté.

—¿Qué? Pero ¿por qué?

—Porque no, porque no quiero condicionarle. Si tiene que hacer o deshacer algo, ha de ser por él mismo, no porque yo esté o no esté con Roy. Y porque Mel me cae genial y no puedo hacerle esto.

—Puf, nena, no sé qué decirte. Tómate estos días para pensar y no sé, si hace falta yo paro la boda. —Se ríe burlona.

—¡Anda ya! Tú qué vas a parar si eres incapaz hasta de parar un taxi.

Nos reímos de su mala suerte con los taxis y Syl me confiesa algo asustada:

—Yo he vuelto con mi ex.

—Oh, Syl, cielo. ¡Me alegro!

—Gracias. No sabía si contártelo, jeje.

—¡Anda ya! Claro que tienes que contármelo.

—Espero que dure más que la última vez —se burla de ella misma.

—Esperemos, esperemos... —le digo con cariño.

Su vida amorosa también ha sido un caos últimamente.

Pasamos el resto del día trabajando y al acabar la jornada, Syl se va como de costumbre y por primera vez yo me quedo.

242

Por primera vez no tengo casa a la que volver. Me preparo algo rápido para cenar, unos espaguetis con calabacín y tofu. Me pongo a ver una serie por internet. Tengo mucho sueño, así que no me da tiempo a comerme mucho la cabeza.

Los días siguientes pasan sin pena ni gloria, trabajo y más trabajo una vez más. No he recibido ningún mensaje de Roy. Ni siquiera una respuesta al mensaje que le escribí cuando llegué a Nueva York. Ya han pasado seis días. Debe estar muy enfadado, aunque sinceramente, no tengo ganas de hablar con él. No me siento con fuerzas de mirarlo a los ojos y, aunque me parece increíble, cada vez le extraño menos y me siento más a gusto en el sofá-cama de mi estudio.

A quien sí echo terriblemente de menos es a Jake. Tampoco he recibido ningún mensaje suyo. Así que imagino que lo mejor será dejar las cosas como están. Quien sí me llama sin parar y me escribe es la abuela. Explicándome todas sus aventuras por el Sur. No me atrevo a preguntar por Jake y ella tampoco lo menciona, así que imagino que la boda y todos los preparativos siguen adelante.

243

31

DIARIO DE JAKE

*H*a sonado el despertador como cada día. Eran las seis. Me he revuelto en la cama. Mel ha estirado de la sábana dormida para que no la destapara. Me he detenido a mirarla como tantas veces lo he hecho. Durante estos nueve años de relación no ha habido un día que no la haya deseado, amado y respetado. Hasta que conocí a Flor.

A solo cuatro días de la boda sigo preguntándome por qué no le he contado la verdad a Mel, por qué soy tan cobarde y por qué he dejado escapar a Flor. La imagino en su apartamento en Nueva York junto al arrogante de Roy, viviendo a todo lujo y sin pensar en mí. Y me pongo tan de mal humor que me dan ganas de llamarla y preguntarle qué significo para ella. Le abrí mi corazón. Le dije que si me lo pedía, anulaba la boda. Seré gilipollas.

Vuelvo a centrarme en Mel. Siempre ha sido tan guapa... No tiene nada que ver conmigo. Cada año que hemos pasado juntos nos hemos ido distanciando más, pero aquí estamos. A cuatro días de nuestra boda. Yo jamás quise casarme. Jamás. Pero hubiera hecho cualquier cosa por hacerla feliz. A pesar de todo. De todas nuestras diferencias y desacuerdos. Mel era la única mujer a la que había amado. Pero las cosas han cambiado. Flor no para de estar en mi mente a todas horas, cada minuto.

Con su abuela Rosa por el Santuario aún me resulta más imposible desconectar de ella. Me pregunto si a ella le pasará lo mismo. Mis pensamientos cambian de un momento a otro. A ratos me convenzo de que está enamorada de mí, tanto como yo, y de que debo luchar por ella, y luego todo lo contrario. Que para ella solo he sido un error y que es feliz en Nueva York. No sé si debería llamarla o dejar que ella me llame. Va a estar en mi boda. La mujer con la que he sido infiel a Mel, la mujer de la que estoy enamorado. Todo esto es una farsa.

La imagen de Mel entre las sábanas me ha hecho sentir el hombre más miserable del mundo por haberle fallado. Pero no tengo duda. Me he enamorado locamente de Flor. Sé que puedo vivir con ello. Como mi padre vivió durante años con el recuerdo de su primer amor. Sé que se me pasará con el tiempo. Quizá logre olvidarla algún día. Siento que tengo que hacerlo por Mel, por nuestra relación. Por tantos años juntos, por nuestro futuro.

Me he levantado para ir al Santuario cuanto antes. Mi madre estaba preparando ya el banquete y cada vez que la veo cocinar me dan ganas de contárselo todo. De decirle que pare. Que no quiero casarme, que tengo dudas.

Tras cinco horas de trabajo incesante en los prados donde pastan las vacas he vuelto a casa. En la sobremesa, me he quedado a solas con la abuela de Flor, que me ha contado su historia. Quiero dejarla por escrito aquí para poder releerla cuando, de una vez por todas, tome mi decisión pendiente.

«Dejé a tu padre porque me di cuenta de que no era amor de verdad, me di cuenta de que no era lo que yo creía,

245

y fue la decisión más dura de toda mi vida y con la que perdí a mi gran amiga del alma. Pero tuve la oportunidad de enamorarme de verdad de mi marido y tener una familia adorable. A veces en la vida uno debe tomar decisiones, por duras que sean, para lograr ser feliz y también para hacer felices a los demás. No pretendo convencerte, ni meterte ninguna idea en la cabeza. Solo trato de decirte que alegres esa cara. Vas a casarte con la mujer que amas en cuatro días. Deberías ser el hombre más feliz del mundo. Y si no lo eres, ya es hora de que tomes otra decisión.»

Esta conversación con Rosa me ha dejado tocado el resto del día. Cuando he vuelto a casa por la noche Mel estaba haciéndose una mascarilla y arreglándose las uñas para el gran día. He sentido que debía serle sincero, que se merece la verdad. Pero el miedo y el hecho de hacerle daño me convierten en un cobarde y he subido a la habitación sin decirle apenas nada. Sé que está un poco confundida y que nota que estoy distante, pero no puedo remediarlo. Me voy a duchar y me acostaré sin cenar. La cara de Flor me persigue. Voy a cerrar los ojos y a intentar no pensar.

32

—*El* piloto y su tripulación le dan la bienvenida al estado de Tennessee.

«Está bien, Flor, respira, respira. Coge el equipaje, las cámaras y súbete al tren», me repito al aterrizar. Es el gran día. No he vuelto a saber de Jake ni de Roy, y la verdad es que lo agradezco. Tras estos diez días de trabajo sin fin me he dado cuenta de que mi separación con Roy era inevitable después de cómo me ha cambiado la vida. Voy camino a la boda del hombre del que estoy enamorada. Pero aún hay algo peor. Voy a fotografiarlo. Sé que nuestra última conversación debió confundirle, pero no supe muy bien cómo reaccionar. Me entró miedo y ahora voy a inmortalizar cómo se casa.

Llego media hora antes de lo previsto. A solo cinco horas de la boda. Tengo a todo mi equipo trabajando en el decorado, la disposición de las sillas y el banquete. Me maravillo del excelente trabajo que hemos hecho. El jardín está arrebatador y la puerta del granero luce preciosa con los marcos dorados y las fotos que les tomé. Mel corre hacia mí, histérica y eufórica, con una bata blanca y un peinado ideal.

—¡Flooooor!

—Hola, Mel. —Le doy un abrazo sincero.

—Es todo… Dios mío, no tengo palabras, no puedo dejar de llorar.

—No llores, o se te correrá el rímel.

Está divina con ese maquillaje que resalta el azul de sus ojos.

—Sé que no debería estar por aquí, pero te he visto llegar y no he podido evitar bajar a felicitarte. Me voy a la habitación, que me están acabando de peinar y maquillar.

—Claro, vete y tranquilízate.

—Busca a Jake, aún no ha llegado y ya lleva una hora de retraso.

—Tranquila, yo me encargo. —Me pregunto dónde estará Jake pero no le doy importancia, los hombres siempre se retrasan.

Veo a la abuela y a Joan colocando las exquisitices del aperitivo y me doy cuenta de que es la primera boda en la que alguien de mi familia me ayuda.

—¡Yaya! —la llamo desde lejos haciendo un círculo con el dedo pulgar y el índice expresándole lo bien que lo está haciendo.

Sale disparada hacia mí y me da un abrazo que casi me rompe las costillas.

—Hijita, te hemos echado de menos. Menuda semana. Hemos hecho de todo. ¿Cómo estás? ¿Estás bien?

—Sí, tranquila.

—¿Seguro? No me has contado nada estos días, no sé nada de cómo están las cosas con Roy, ni con Jake…

—Tranquila, abuela, ahora no es el momento. Todo está bien. Sigue con lo tuyo o tendré que despedirte.

Se aleja orgullosa de su aportación en la decoración de la boda y por un momento me olvido de quién se casa y me centro en que todo quede al detalle. Indico a los eléctricos que monten bien las luces del baile y reviso que los nombres de las sillas y las mesas estén correctamente colocados. Todo ha salido a la perfección y me encargo de los últimos detalles decorativos. Me dirijo a la furgoneta de las flores que Syl mandó anoche para acá y veo un sobre en uno de los ramos. Puedo leer mi nombre a lo lejos. Me acerco y lo cojo.

«Para Flor.»

Me extraña que ese sobre esté ahí, y cuando lo abro descubro la letra de Syl: «No esperes el momento adecuado, no existe. Por favor, comete una locura».

Syl es un amor. Me guardo la tarjeta en el bolsillo y acabo de colocar las flores en el arco de la ceremonia, las sillas y las mesas. Cuando diseñé esta boda no imaginé que quedaría tan perfecta. Una ceremonia debajo de un sauce llorón centenario, repleto de corazones tallados en madera cayendo entre las hojas. Un granero de madera típico americano lleno de marcos con fotos y unas colinas verdes de fondo con sus caballos pastando. Es un marco inigualable y me doy cuenta de lo equivocada que he estado todos estos años haciendo solamente bodas para los ricos de la gran ciudad.

Ninguna de esas bodas en palacios, azoteas y lujosos hoteles alcanza a tener ni una pizca de la magia que tiene este lugar y esta gente. Respiro hondo una vez más y pienso en lo afortunada que es Mel. No me permito pensar en nada más y me dispongo a preparar las cámaras, las tarjetas de memoria y las baterías de recambio. Me dirijo a la habitación donde está Mel y empiezo a fotografiar cómo se viste. La pillo a solas, lo cual es genial para hacerle todas las fotos que quiero.

—No puedo creer que esté a una hora de mi boda.

—Debe dar un vértigo terrible —admito sinceramente.

—Toda la vida con el mismo hombre. —Se ríe—. El mismo hombre cabezota y testarudo.

—Anda ya, no puedes quejarte.

—No me quejo. ¿Cuándo es tu gran día, Flor?, ¿tenéis fecha ya?

—Bueno… La verdad es que no. Todavía no. —«Si yo te contara…», pienso y sigo con mi trabajo.

—Roy es un hombre increíble y muy guapo.

—Sí, es muy guapo.

—Flor, gracias de verdad, por haber hecho esto realidad.

Siento que empiezo a sentirme mal con los halagos de Mel.

—No me des las gracias.

—Sí, te las doy. Porque me has ayudado mucho.

Le sonrío sin ganas de mucho más y la ayudo a abrocharse el vestido.

—Hay muchas cosas que tú no sabes…

—¿Quieres contármelas?

—¿Ves a mis padres por aquí?

—Mmm…, no.

—Ni los verás. No van a venir. Nunca estuvieron de acuerdo con mi relación con Jake y mucho menos con la noticia de nuestra boda.

—Vaya, lo siento.

—Ya sabes, cosas que tienen los pueblos pequeños. Mi abuelo era propietario de una de las explotaciones más grandes de por aquí y que la familia de Jake, tras muchas denuncias, logró cerrar. Mi familia se arruinó y mis padres nunca quisieron ni oír hablar de ellos.

—No tenía ni idea.

—Nosotros no sabíamos nada de esto, éramos unos

críos. Pero Jake tampoco ha querido conocer nunca a mis padres. —La cara de Mel cambia y sus ojos parecen tristes.

—Hey, tranquila. Las familias a veces son así. Lo importante es que tú seas feliz.

—Lo soy, mucho. Pero me faltan mis padres.

—Vamos, sonríe. Voy a dejarte a solas un ratito y te veo en breve, ¿vale?

—Vale, sí. Vete a hacer las fotos de Jake mientras se viste, por favor.

Jake, su nombre retumba en mi cabeza; no quiero, no puedo verlo.

—Claro, Mel, ahora mismo. Relájate. Estás preciosa.

Cierro la puerta a mis espaldas. Tomo aire y me dirijo a buscar a Jake. Me prometo a mí misma ser profesional y hacer mi trabajo. Pese lo que pese. Veo un cartel en una de las habitaciones de la segunda planta donde pone «El novio»; idea mía, por supuesto. Llamo a la puerta y la voz de Jake me hace temblar:

—¿Quién es?

—Soy yo —digo con apenas un hilo de voz.

—¿Quién?

—Tú fotógrafa —digo decidida, como si fuera un novio cualquiera.

Abre la puerta con la camisa desabrochada dejando a la vista gran parte de su torso.

—Flor, pasa.

Le noto tenso.

—Uf... —Suspiro; no logro pronunciar palabra—. Estás muy guapo.

—Cállate. —Sonríe con mirada triste.

—Vengo a hacerte las fotos.

—Flor, no puedo casarme.

—Jake...

—Pídeme que no lo haga, por favor.

—Yo… no puedo, no puedo hacer eso.

—Pídemelo. Solo pídemelo.

—Jake, por favor. Esto es una absoluta locura. ¿Qué vas a hacer? ¿Vas a huir? ¿Vas a dejar a Mel en el altar?

—¿Cómo estás?

—Estoy.

Me mira fijamente a los ojos y repite:

—Flor, ¿cómo estás?

Entiendo perfectamente que quiere que le diga cómo me siento, cómo estoy llevando el día de la boda, pero no puedo serle sincera, no puedo.

—Bien, mucho mejor.

—Y un cuerno —me responde casi sin dejarme acabar.

—Bueno, ¿qué quieres que te diga?

—¿Qué te parece la verdad?

—No quiero, no puedo ser egoísta. Debes tomar tus decisiones al margen de las mías. No quiero que hagas nada de lo que puedas arrepentirte.

—Flor, estoy a una hora de mi boda. Yo no decidí que pasara todo lo nuestro y tú tampoco. Pero te necesito. Necesito hablar con alguien. Necesito ayuda de veras. Siento que si me caso con Mel será el mayor error de mi vida.

No puedo retener las lágrimas, un nudo en la garganta me impide hablar.

—Has arreglado las cosas con Roy, ¿verdad? ¿Es por eso?

—Jake, por favor.

—No, Flor, sé sincera. Te lo pido por favor.

—No puedes tomar una decisión basándote en si yo estaré aquí o no. Entiéndelo, por favor. Si yo no me separo de Roy, entonces ¿tú te casarás con Mel por no estar solo? —Siento que acabo de ser muy dura y fría y me arrepiento al momento—. Disculpa, Jake. Perdona, estoy muy nerviosa, no quería decir eso.

—No, tienes toda la razón. De un modo u otro, estoy

refugiándome en tus decisiones y debo decidir por mí mismo. Ya veo que has arreglado las cosas con Roy y, bueno, no quieres sentirte culpable si arruino mi boda.

—No digas tonterías, no tienes razón.

—¿En qué no tengo razón?

Por primera vez veo a un Jake vulnerable y frágil. Perdido y muerto de miedo. Como estaría yo en su situación, imagino.

—¿Recuerdas la noche de la feria?

—Claro.

—Pues ese día ya lo había dejado con Roy.

—¿Cómo? —Frunce el ceño y niega con la cabeza no entendiendo nada.

—Pues eso, la noche anterior hablamos por teléfono y decidimos darnos un tiempo. No lo he vuelto a ver ni a hablar con él.

—Pero ¿por qué no me lo contaste? Y ¿dónde has estado si no lo has visto?

—En mi estudio. Tiene una pequeña cocina y, bueno, me he apañado.

—Pero ¿cómo se te ocurrió ocultármelo? Eso hubiera cambiado mucho las cosas.

—Precisamente eso es lo que no quería.

—Ya, pero yo de algún modo no quería fastidiar tu relación con Roy tampoco.

—Jake, te besé en tu avioneta y me acosté contigo en el bosque —le digo muy bajito—. Para mí, las cosas con Roy ya estaban fastidiadas.

—Me haces sentir fatal.

—No, perdona, no quería decir…, no me refería a que esté mal que sigas y te cases con Mel. Joder, Jake, esto es un lío.

La puerta se abre de repente, la expresión feliz y alegre de Joan cambia de repente cuando nos ve. Imagino que no tenemos precisamente cara de alegría.

—Ahora no, mamá —le pide Jake de mal humor.

—¡Ay, Dios mío! —Joan empalidece y cierra la puerta tan rápido como la ha abierto.

—Jake, voy a salir por esa puerta. Me voy al jardín. Estoy temblando, no sé qué hacer, ni qué decir, ni cómo actuar.

—No, espera…

Salgo sin darle tiempo a acabar la frase y veo a Joan sentada en el último escalón. Al verme se levanta y se arregla el vestido deprisa.

—Flor, querida, ¿qué ocurre? —pregunta con verdadera preocupación.

—Nada. —Le sonrío y trato de pasar de largo.

—No, nada no. Flor, te lo pido por favor. Habla conmigo.

La voz rota y asustada de Joan me atraviesa como una flecha y no puedo evitar soltarlo todo:

—Que estoy perdida y estúpidamente enamorada del hombre que va a casarse en una hora. Que no quiero fastidiar su vida, su boda, su mundo, no quiero herir a Mel, no quiero que se casen, no, no quiero. Me he separado de Roy, lo dejaría todo por Jake, incluso mi vida, mi trabajo, TODO, y él ni siquiera lo sabe. No quiero, no quiero ser egoísta. Él tiene una vida y no es a mi lado. No puedo cambiar eso.

Salgo disparada hacia abajo sin hacer caso a Joan. Como si no le hubiera dicho nada. Me dirijo a la ceremonia. Los invitados ya están sentándose. No puedo creer que le haya soltado todo eso a Joan.

Necesito que esto acabe ya. La música empieza a sonar. Cambio el objetivo de la cámara y me preparo para la entrada de los novios, tengo el corazón congelado y trato de poner la mente en blanco. Una balada de Kenny Chesney empieza a sonar y yo me convierto en la fotógrafa de bodas profesional que han contratado. El maestro de ceremonias pide a los invitados que se vayan acomodando y empieza a hablar. Da la bienvenida y las gracias a todos los asistentes, la gente aplaude, debe haber como sesenta personas. No es una gran boda, pero siento que es la más cálida y bella que he retratado jamás.

Joan aparece diez minutos después y se sienta en primera fila, al lado de Robert y la abuela. Les sonrío forzada. Joan me mira y cierra los ojos como mostrándome su apoyo. La canción suena durante cinco minutos, los cinco minutos más largos de mi vida. Todo el mundo está sentado y solo falta que entren los novios. Me tiemblan las piernas y se me nota.

Parece que se está retrasando un poco la entrada del novio y empiezo a ponerme verdaderamente nerviosa. Los músicos improvisan una segunda balada, esta no me suena de nada, y por fin las puertas de la casa principal se abren y aparece Jake, más guapo que nunca. No lleva esmoquin, no sería su estilo en absoluto. Viste unos vaqueros de vestir negros y una camisa tejana muy bonita. También de vestir. Una botas nuevas relucientes y un cinturón marrón a juego. El pelo bien peinado y la barba perfectamente recortada. Todo el mundo se levanta y le aplaude para darle la bienvenida. No me mira y yo disparo sin parar.

Le hago tantas fotos que creo que acabaré la tarjeta de memoria. El corazón me va a mil por hora. Y me escondo detrás de la cámara. Cruza el caminito de pétalos y saluda al maestro de ceremonias. Se coloca justo a mi lado, sin mirarme aún, y se dispone a saludar con la mirada a todos los invitados. Adopta la típica posición de novio en el altar y por un momento nuestras miradas se encuentran. Le susurro: «Tranquilo», para darle ánimos. No tengo ni idea de cómo soy capaz de pronunciar una palabra y de repente aparece Mel.

Preciosa y radiante. Con un vestido demasiado recargado para mi gusto, pero que le sienta de maravilla. Se la ve nerviosa, sonríe sin parar y camina decidida hacia el novio. Jake la recibe con un beso en la mejilla y se quedan uno frente al otro. Empiezo a fotografiarlos desde todos los ángulos y siento que todo es una película y nada es real. Me limito a hacer mi trabajo.

—Queridos amigos y familiares, estamos aquí reunidos para formalizar la unión en matrimonio de estos dos jóvenes enamorados…

No puedo evitar mirar a los ojos a Jake y él agacha la cabeza.

Una lágrima recorre su mejilla, e imagino que cualquiera que la viera estaría pensando que esa lágrima es de emoción. Pero yo en el fondo de mi corazón sé que no lo es. Sé que le parte el corazón abandonar a Mel. Sé que no le hará eso y sé que no es feliz. En menos de diez minutos, mientras el maestro de ceremonias sigue con su discurso, imagino mil maneras de detener la boda. Hablando cuando pida si alguien se opone a este matrimonio, interrumpiendo cuando vayan a intercambiar los anillos, declarándome justo antes del beso. Pierdo la cabeza pero vuelvo a la realidad. Y no hago ninguna de ellas.

—Dicho todo esto, procedamos al momento de la unión —prosigue el discurso.

Mel y Jake, cogidos de las manos uno frente al otro, se miran a los ojos. Mel sonríe y Jake la mira sin apartar ni un segundo sus ojos de los suyos.

—Jake, te conozco desde que eras un niño y te he visto crecer con Mel. Hoy delante de toda esta gente darás el gran paso de convertir una pareja en una familia.

No entiendo cómo sigo manteniéndome en pie, me empiezan a temblar las manos también y veo cómo Jake aprieta la mandíbula y traga con dificultad. Noto la mirada de Joan en mi nuca y me giro para dedicarle una sonrisa de «Todo está bien». Joan traga saliva también, su cara es un poema.

—Jake, este es tu momento. ¿Aceptas?

De repente Joan se pone en pie y todo el mundo la mira sorprendido. Acaba de interrumpir el mejor momento de la boda y todos los invitados esperan una explicación.

—Disculpad, disculpad.

Jake mira a su madre con los ojos abiertos de par en par. Yo no doy crédito y Mel se muestra curiosa y sorprendida también.

No tenía pensado hablar durante la ceremonia, no se me dan bien estas cosas —dice excusándose—. Pero me ha entrado un arrebato de necesidad a última hora. Si me permitís.

—Por supuesto —contesta el maestro de ceremonias—. Ven hacia aquí y toma el micro. Un poco más y pienso que ibas a detener la boda.

Joan sonríe nerviosa mientras se acerca al altar. Jake le pone ojos de «Qué estás haciendo» y los invitados dedican un aplauso a la madre del novio. Yo de verdad que no aguanto más y decido tomar el asiento de Joan, al lado de la abuela, para dejar que Joan hable tranquila sin la presión de la cámara.

—Hoy es un día muy especial —empieza Joan—. Mi hijo, mi único hijo está a punto de tomar la decisión más importante de su vida. Conozco a mi hijo por encima de todas las cosas en este planeta, se cuándo está enfadado, cuándo está feliz, cuándo tiene miedo, incluso sé cuándo me oculta algo. Pero por encima de todo sé cuándo está enamorado.

Le dedica una mirada a Jake que lo dice todo y él aparta la mirada. Esto son indirectas en toda regla y solamente nosotros tres y la abuela nos damos cuenta.

257

—Una boda siempre es el momento más mágico de una pareja, el inicio de una vida feliz y única. Siempre unidos y siempre uno al lado del otro. Mucha gente decide casarse sin saber muy bien por qué y pensando que ahí está el divorcio, por si algún día hace falta —bromea.

Los invitados estallan a reír y Jake mira a su madre prestando toda su atención.

—Pero eso no es amor. Amor es cuando sientes que el mundo se mueve a tus pies. Cuando ver a esa persona te hace temblar. Cuando la miras y sabes que tu mayor aspiración es convertirte en su refugio, en su paz. Enamorarse de verdad ocurre tan pocas veces en la vida que si además tienes la suerte de casarte con esta persona, entonces date por el hombre o la mujer más afortunada del mundo. Yo hace ahora veinticinco años me casé con el hombre de mis sueños. Debo admitir que no fue fácil. —Sonríe mirando a Robert y a la abuela—. Pero lo hice. Me dirigí hacia el altar sin ningún miedo, sin ninguna duda, sintiendo con cada latido de mi corazón, con cada poro y centímetro de mi piel que él, Robert, era el hombre de mi vida, al que amaba y junto al cual no había dudado jamás. Esa fue la decisión más acertada que he tomado jamás. Fruto de ella nació Jake. Mi querido y único hijo. No fue fácil traerte al mundo, mi vida, tardaste en regalarnos tu luz. Porque eres luz, hijo mío. Porque eres esa clase de persona que toca la vida de los demás. Que ama de verdad y que jamás se traicionaría a sí mismo.

«Dios mío, no puedo creer que Joan esté tratando de detener la boda.» Jake se emociona y de nuevo una nueva lágrima recorre sus mejillas. Mel empieza a llorar también, de emoción supongo, y yo no puedo ser menos. De hecho, la mayoría de los invitados están emocionados.

—Mel, cielo, eres una dulzura de niña, te hemos visto crecer, te queremos como a una hija y por supuesto deseo para ti lo mismo que para mi hijo. Por ello estamos aquí hoy. Una familia no se construye con dos vidas sino con una vida en común. El matrimonio es un proyecto, una empresa en la que ambos han de luchar, trabajar y sobre todo aprender a respetar. Un matrimonio son dos personas que a partir de ahora caminan juntas con sus sueños, sus creencias y sus valores. Solo deseo, anhelo y rezo por que sintáis lo mismo que sentí yo hace veinticinco años al unirme al hombre de mi vida y crear con él este precioso lugar y esta preciosa familia —dice Joan mirando a los invitados.

Robert se levanta y aplaude a Joan, y todos los invitados hacen lo mismo. Veo a la abuela emocionada. Jake se ha quedado de piedra y, mientras todo el mundo aplaude, veo cómo se acerca a Mel y le susurra algo al oído. Me pongo nerviosa. ¿Qué le habrá dicho? Mel, aún con la cara empañada en lágrimas, asiente a lo que sea que él le ha dicho y coge el micrófono.

—Si no os importa, yo también quiero hablar—dice emocionada.

Pero ¿qué está pasando aquí? Estoy tan nerviosa que no puedo parar de temblar. Me levanto para dejar sentarse a Joan pero ella me lo impide. «Quédate sentada», me susurra. No doy crédito. Debo hacer mi trabajo. Mel empieza a hablar.

—Quiero agradecer a esta familia todo lo que han hecho. Aunque la mayoría de las veces no entiendo las recetas de Joan ni las charlas del abuelo —bromea llorando y riendo a la vez—. Son la mejor segunda familia que hubiera podido tener en la vida. Y Jake..., Jake es el hombre más maravilloso con el que podría atreverme a soñar.

Jake le sostiene la mano con fuerza, dándole ánimos, no entiendo nada. Ahora la anima a declararse, lo que faltaba, que acabe esto ya. ¡Ya!

—Gracias, Jake —le dice mirándolo a los ojos—. Por

259

regalarme los mejores diez años de mi vida. Gracias por hacerme mejor persona y por no rendirte nunca. Nunca. Gracias por ser capaz de renunciar a tu propia vida por mí. —«No entiendo de qué está hablando Mel»—. Siempre has soñado con tener una gran familia como la tuya, compartir los mismos gustos y valores y yo siempre he soñado con hacer eso realidad. Aunque no haya sabido muchas veces cómo. Por ello quiero pedirte que cometamos una locura juntos. Quiero pedirte que me abraces con todas tus fuerzas y salgamos de aquí tal cual hemos entrado. Cada uno con su vida. Si alguna vez creíste que permitiría que tus sueños se desvanecieran, estabas equivocado. Te quiero por encima de todas estas cosas.

La gente estalla a aplaudir y Jake se lanza a abrazar a Mel, ambos lloran y yo trato de descifrar el discurso de Mel. Ha dicho salir los dos como han entrado, cada uno con su vida. Es decir, no con una en común. ¿Por qué carajo he entendido esto? ¿Por qué aplaude todo el mundo? ¿Estoy teniendo alucinaciones?

Jake coge a Mel en brazos y se dirige hacia el granero. El maestro de ceremonias se queda pálido y la gente que aplaudía se queda un poco confundida. No se han besado ni intercambiado los anillos. Todo el mundo deja de aplaudir y Mel y Jake despegan con la avioneta que hay detrás del granero. Saludando con la mano. Mi cara es un poema. ¿Qué diablos acaba de ocurrir? No se han casado pero ¿y esa manifestación de amor y romanticismo? ¿Ahora huyen juntos? Esto es una locura.

Joan se inclina hacia mí y me sonríe.

—Flor, no te preocupes. Todo saldrá bien.

La miro alucinada y veo cómo anima a los invitados a dirigirse hacia el aperitivo. Me levanto totalmente anonadada y vuelvo a ejercer mi trabajo, fotografío a la gente yendo hacia el cóctel, y Joan de nuevo se acerca a mí.

—Sé que no entiendes nada, pero por favor, deja de hacer fotos. Guarda esa cámara y disfruta del banquete.

—Pero, Joan, ¿qué dices? ¿Cómo voy a dejar de hacer fotos? Es mi trabajo.

—No sé si te has dado cuenta pero los novios no están, y créeme, esta gente no es tan importante. Así que deja la cámara en tu habitación ya y vuelve a disfrutar del aperitivo.

Todo el mundo empieza a comer como si nada y no se dan cuenta o no dan importancia a lo que acaba de pasar. Me pregunto dónde estarán Mel y Jake y cómo acabará todo esto. Joan habla con los invitados y les cuenta el pequeño giro que ha tomado la fiesta. Todos están encantados de seguir sin los novios. Parecen convencidos de que están disfrutando de su prematura luna de miel. Pero yo me siento defraudada y confundida. Es extraño. Legalmente no se han casado, pero parece que el discurso de Mel ha empujado a Jake a tomar la decisión de huir con ella. De huir de la boda, como él siempre había soñado, y de huir de mí y todo lo que yo significo. Quizá esto sea lo mejor. Quizá sin la presión de la boda, Jake puede reenamorarse de Mel, de hecho seguro que lo hará, y yo debería empezar a hacerme a la idea.

Trato de comer algo y disfrutar de la extraña velada. Obedezco a Joan. Dejo la cámara de lado y no doy importancia a lo que los novios puedan pensar. De hecho, ni siquiera están. La escena ha sido tan bonita que por un instante siento celos.

—Cariño. —La abuela me sorprende por detrás—. ¿Estás bien?

—Sí, abuela. —La abrazo—. Todo bien. —Y empiezo a hablar con Lonan y la abuela sobre los Estados Unidos y su historia.

La fiesta pasa sin darme cuenta y me sorprende haber podido disfrutar al final un poquito. He logrado no darles

261

toda la importancia a Mel y a Jake y disfrutar de esta gente, ya tan familiar para mí. Ha oscurecido hace apenas una hora y los invitados empiezan a irse. La abuela y yo ayudamos a Joan a guardar la comida restante, y después de una horita recogiéndolo todo, nos vamos a la habitación.

—Abuela, no tengo ganas de hablar, ¿vale? —le anticipo.

Ella asiente y me da un beso en la mejilla. Voy a prepararme un baño. Me desmaquillo lentamente y suelto mi pelo. Lleno la bañera y me hundo en ella. La abuela se echa a dormir, y ahora ya a solas conmigo misma me permito respirar hondo y aceptar que las cosas son como deben ser. Me siento feliz por la abuela, y por Jake y Mel si son felices, y sé que muy pronto llegará mi momento, mi persona ideal y mi felicidad. Estiro el brazo para alcanzar el móvil y fotografío mis piernas dentro del agua.

262   La vida no se mide por las veces que respiras sino por las que te quedas sin aliento. #nuevavida #baño #paz

33

Alguien golpea la puerta del baño y me despierto so-
bresaltada en el agua congelada. Mierda, me he quedado
dormida en la bañera. ¡Está helada!

—Ya voy, abuela. Tranquila, vuelve a la cama.

—No soy la abuela —susurra muy bajito Jake.

Pero ¿qué diablos…?

—¿Jake? —Salgo deprisa del agua helada y me envuelvo
en la toalla. Me dirijo a la puerta y la abro despacio.

—Lo siento, sé que no son horas.

—Pero ¿qué haces aquí? ¿Qué hora es?

—Son las cuatro y media de la mañana. ¿Qué haces en
la bañera a estas horas? Estás helada —dice mientras me
coge por el brazo para que retroceda y le deje entrar.

—¿Cómo que qué hago en la bañera? ¿Qué haces tú
aquí? —lo miro delirando.

—Espero no despertar a tu abuela.

Cierra la puerta y nos quedamos los dos dentro del
baño. Yo aún desnuda, enfundada en la toalla, con todo el
pelo húmedo y muerta de frío.

—Jake, ¿me puedes explicar qué diablos haces aquí?

La verdad, estoy medio dormida aún y no doy crédito a nada. Jake me sujeta por ambos lados de la cara y me empuja hacia él besándome como esa primera vez. Me aparto enseguida, extrañada de todo lo que está pasando.

—Jake, ¿qué haces?

—Flor, perdona, perdona, ¿quieres vestirte y hablamos?

—No, no hace falta, estoy bien.

—Vístete y vayamos fuera. —Me da un beso en la frente y se dirige al pasillo.

Salgo un minuto después, me pongo deprisa unos vaqueros cualquiera y una camisa de la abuela, es lo primero que encuentro, y salgo de la habitación. Ahí está. Apoyado en la escalera con los ojos más brillantes que nunca. Bajamos en silencio y salimos al patio, aún con todos los restos de la boda por medio.

—Se ha acabado, Flor.

—¿El qué?

—Todo. Mel. La boda.

—Pero si os habéis ido abrazados… Yo… creí que…

—Lo siento, no pensé que te sentara mal. Pensé que lo entendías.

—Ni he entendido ni entiendo nada.

—Anoche no podía dormir y Mel tampoco. Y hablamos durante horas. Le conté mis miedos y ella los suyos. Nos dimos cuenta de que no buscamos lo mismo en la vida. Lloramos juntos y tras dudas y mucha conversación me pidió que lo intentáramos. Por el amor que sentíamos. Yo asentí y bueno… El discurso de mi madre de algún modo nos activó. Cuando la vi alzar la mano para hablar supe que no iba a casarme con Mel, que no podía fallarle ni a ella ni a mí, ni a ti. Así que tras el discurso de mi madre le dije a Mel que no podía. Que la quería, pero que no podía. Ella agarró el micro y me contestó en público.

Bueno, ya la oíste. Lo hizo muy sutil, nadie se enteró. Imaginé que tú sí… y decidí sacarla de allí antes de que todo el mundo se interpusiera y causara un drama. Sabía que mi madre se las arreglaría con los invitados, que tú entenderías que finalmente no nos casábamos y que Mel merecía un final feliz. Así que me la llevé lejos y hablamos durante horas. Ella también tenía dudas y hemos decidido que lo mejor es seguir cada uno con su vida. Acabo de llevarla al aeropuerto. Se va de luna de miel.

Jake me sonríe feliz. No puedo evitar reírme. Me tapo la boca para disimular el cúmulo de emociones. La tensión de las últimas semanas, mis dolores de cabeza, todo se desvanece.

—¿De luna de miel?

—Su sueño era viajar a las Maldivas y ha decidido irse sola. Estaba abatida, pero convencida de que es lo mejor.

Por un momento recuerdo mi conversación con Mel en el café, en la que me decía que anhelaba que Jake la mirara con admiración, y me doy cuenta de que no eran dudas de novia nerviosa sino la realidad de su situación. Ella tampoco estaba segura. No puedo creerlo.

—Y ahora ¿qué?

—Ahora lo que tú quieras.

Los dos nos miramos y nos reímos como dos bobos. Durante un minuto no paramos de mirarnos, hasta que él se levanta y me pide que lo siga. Me sube al altar y me abraza muy fuerte. Todo el mundo está durmiendo y apenas hay luz. Solamente la de la luna y alguna que otra vela que queda a punto de consumirse. Empieza a bailar muy despacio, sin música, y ambos nos echamos a reír. Muy bajito, Jake empieza a cantarme al oído: *Sweet home Alabama, where the skies are so blue. Sweet home Alabama, Lord, I'm coming home to you…* Esa canción que me hizo enamorarme perdidamente del Sur y aún más de Jake en la Feria de los fundadores, y de este modo de vida.

265

Por primera vez no tengo planes más allá de este baile, más allá de este instante y más allá de sus labios. Me da igual lo que me depare el destino, me da igual no exponer en ninguna galería de arte nunca más, me da igual mancharme con la tierra y correr descalza por la hierba, me da igual casarme o no casarme y me da igual tener hijos o no. Siempre y cuando si los tengo, crezcan cerca de este lugar.

Ahora mismo y a partir de ahora soy una nueva persona, siento mi alma como si pudiera casi tocarla, me siento viva, apasionada y, lo más importante, conectada. Conectada a este hombre que me sostiene en sus brazos, a este hombre que me ha enseñado a amar de verdad todas las cosas que habitan esta Tierra, incluyéndola a ella. A la naturaleza. A todos y cada uno de los seres con los que coexisto. Con los que coexistimos todos.

Me siento completa y absolutamente en paz y me da igual que se me enrede el pelo con las flores o mojarme al correr bajo la lluvia. Me da igual todo lo que quede lejos de sus manos, de su vida y de este nuevo hogar. No quiero más hashtags, ni etiquetas, ni vivir encerrada en fotografías. Ya no me da miedo lo que me depare el futuro. Ahora sé que puedo trenzar mi cabello cada vez que la tristeza se atreva a visitarme. Miro a Jake a los ojos y me doy cuenta de que tiene esa clase de mirada que atraviesa las cosas. Cierro los ojos y recuerdo el pequeño cuento que me contó su abuelo Lonan y ahora por fin comprendo.

Un padre le cuenta a su hijo: «Siento como si tuviera en el corazón dos lobos que se están peleando. Uno de ellos es violento, está siempre enfadado, alimenta mis miedos. El otro está repleto de perdón, compasión y amor».

El niño le pregunta: «¿Y cuál de los dos será el que gane la pelea y se quede en tu corazón?».

A lo que el padre responde: «El que yo alimente».

Agradecimientos

*E*n primer lugar, gracias a ti. Sí, a ti. Por tenerme entre tus manos. Gracias por llegar hasta aquí, por recorrerme de principio a fin. Porque esto no es solo una novela, es un pedacito de mí. Por hacer este sueño realidad. Gracias, porque sin ti nada de esto sería posible.

A Ismael, por acompañarme en mi locura de dejar la ciudad atrás y aventurarnos juntos en la vida salvaje. Porque aunque ambos sabemos que no ha sido fácil, al final siempre me has dado la mano para seguir adelante, juntos. Gracias por no detenerme jamás, por dejarme ser, crecer, y por enseñarme siempre tanto.

A Daniel Ojeda, ahora sí, compañero escritor, sin ti nada de esto sería real. Gracias por darme la oportunidad de contactar con Roca Editorial.

A Carol París, mi editora. Por tomarte ese café conmigo un día cualquiera en una cafetería cualquiera y escucharme. Escucharme de verdad y apostar por mí. Por mi novela. Por mi sueño hecho realidad. Gracias, Carol, creo que te debo un millón de cafés de por vida.

A Ana Santos, por ilusionarte cuando te pedí que ilustraras la cubierta de la novela. Por convertir las pecas de Flor en constelaciones y por tu magia. Eres una artista. Gracias por creer en mí.

A todas las personas reales de mi vida que han inspirado a algunos de los personajes de esta historia. A mi abuela Flora, por ser la abuela perfecta, siempre. Por cederme su nombre para Flor y darme el toque de ternura que la historia necesitaba. No me faltes nunca.

A Silvia, por estar a mi lado en uno de los momentos más importantes de mi carrera y por convertir a Syl en una diosa del orden y una confidente.

A Ana, por ser la amiga que, pase lo que pase, sea buen tiempo o tempestades, está siempre a mi lado. A Carmen, por ser tan «Joan» conmigo en una época tan difícil para mí. No creo que entiendas de qué hablo. Es de esas cosas que una prefiere guardarse para sí misma. Pero gracias. Gracias por sonreírme siempre con esa sonrisa tan tuya que enamora a cualquiera. Te mereces lo mejor.

A Jake, por ser quien sea que seas, por conectar conmigo y ayudarme a dar al mundo este mensaje que tengo tan guardado en mi interior. Por desvelarme madrugadas solo para describirte, por hacerme soñar que un mundo mejor existe y por aparecer en mi cerebro y convertirte en el héroe imaginario de un mundo mejor.

Gracias a todos los demás personajes, porque de algún modo para mi sois reales, os conozco, siento cómo hemos conectado. Y aunque no existáis, es increíble cómo me habéis dado tanto sin ni siquiera salir de mi cerebro. Ahora sois reales, formáis parte de la imaginación de otras personas. Por favor, tocarles el alma y cambiarles un poquito la vida.

Gracias a todos y a todo.

Aquí os dejo mi página de Pinterest, en la que hay varios tableros con todas las fotos que me inspiraron a la hora de escribir esta novela. Personajes, lugares y emociones.

www.pinterest.com/dulcineastudios/

Sed felices, es una orden.

Dulcinea (Paola Calasanz)

Paola Calasanz (Barcelona, 1988), más conocida como Dulcinea, es directora de arte, creativa, *instagrammer* y *youtuber* (con más de 500.000 seguidores) Ha creado varias de las campañas más emotivas de la red, ganándose así su reconocimiento. Ha colaborado con programas como *El Hormiguero*, con sus famosos experimentos psicosociales, y actualmente con Canal Cocina y Flooxer (entre otros). Es fundadora de una reserva para el rescate de animales salvajes llamada @ReservaWildForest. *El día que sueñes con flores salvajes* es su primera novela, una historia llena de emociones que nos recuerda cómo las redes sociales pueden llegar a ser un arma de doble filo, y que la vida va más allá cuando uno se acerca a la naturaleza y a su lado más indomable.

@dulcineastudios
www.dulcineastudios.com
www.pinterest.com/dulcineastudios/

Este libro utiliza el tipo Aldus, que toma su nombre
del vanguardista impresor del Renacimiento
italiano Aldus Manutius. Hermann Zapf
diseñó el tipo Aldus para la imprenta
Stempel en 1954, como una réplica
más ligera y elegante del
popular tipo
Palatino

* * *

* *

*

El día que sueñes con flores salvajes
se acabó de imprimir
un día de primavera de 2017,
en los talleres gráficos de Liberdúplex, s.l.u.
Crta. BV-2249, km 7,4, Pol. Ind. Torrentfondo
Sant Llorenç d'Hortons (Barcelona)

* * *

* *

*